O TARÔ UNIVERSAL DE WAITE

Tradução: Maria Lucia Acaccio
Revisão: Gabriela Terumi Hayashida Mori
Supervisão editorial: Gustavo L. Caballero
Capa: Pablo Eduardo Fiorenza
Ilustrações: Guillermo D. Elizarrarás

© 2004, Editorial Sirio, S.A.

© 2004, Editora ISIS Ltda.

I.S.B.N.: 85-88886-15-4
Depósito Legal: B-32.515-2004

Grafia atualizada segundo o Acordo Ortográfico da Língua Portuguesa
de 1990, que entrou em vigor no Brasil em 2009.

Proibida a reprodução total ou parcial desta obra, de qualquer forma
ou por qualquer meio seja eletrônico ou mecânico,
inclusive por meio de processos xerográficos, incluindo ainda
o uso da internet sem a permissão expressa da Editora Isis,
na pessoa de seu editor (Lei nº 9.610, de 19.02.1998)

Direitos exclusivos reservados para Editora Isis

EDITORA ISIS LTDA
www.editoraisis.com.br
contato@editoraisis.com.br

Edith Waite

Um pouco de história

O enigma do Tarô

O Tarô está rodeado de uma aura de encanto e de mistério, muito mais do que qualquer outro sistema divinatório. Quem toma pela primeira vez, em suas mãos, um baralho de Tarô, sente uma indescritível atração pelas imagens gravadas nas cartas. São figuras que, por um lado, parecem estranhas, mas que ao mesmo tempo, fazem vibrar algo em nosso interior. É como se falassem diretamente à alma, despertando um conhecimento profundo e atemporal durante muito tempo

esquecido, ainda que preparado para novamente surgir à superfície.

Quem inventou estas cartas? Quando? Onde? E principalmente: qual a finalidade?

Atualmente, não temos resposta para nenhuma destas perguntas. Toda história tem uma parte externa, até certo ponto aceita, estudada e analisada, e outra oculta e insuspeita, que historiador algum jamais pôde registrá-la. Poucas vezes isso tem sido tão evidente como no caso do Tarô. Vejamos um resumo da sua história externa.

O significado da palavra Tarô

Seu próprio nome já é um mistério. A palavra *Tarot*, usada na atualidade na maioria dos idiomas, é o termo francês que denomina o *tarocco*, jogo que - até onde sabemos - apareceu pela primeira vez no norte da Itália, no início do século XV, composto por 78 cartas, formadas por 22 "triunfos" ou Arcanos Maiores e 56 Menores, que por sua vez estão divididos em quatro espécies ou naipes: ouros, copas, espadas e paus.

Já no ano de 1550, Flávio Alberti Lallio perguntava-se como era possível a estranha palavra *tarocco* carecer de etimologia. É extraordinário que não exista referência alguma a esta palavra antes que o jogo tivesse aparecido. Especula-se que no começo foi denominado "triunfos" ou "cartas com trunfos, triunfos", pois não consta nenhuma referência escrita à palavra *tarocco* até o ano de 1516. As teorias acerca da origem da palavra *Tarot* são abundantes, a maioria delas do tipo esotérico.

Alguns acreditam que procede do termo *Tara*, freqüente nas tradições e nos mitos de diferentes povos antigos, entre eles, no *trantismo* tibetano. Para aqueles que atribuem ao *Tarot* uma origem egípcia, seu nome é derivado das palavras egípcias *Ta-Rosh*, que significa "o estilo ou o caminho real". Os que crêem que o *Tarot* foi composto por cabalistas, não podem deixar de notar a similitude das palavras *Tarot* e *Torah*, nome dado pelos hebreus aos cinco primeiros livros do Antigo Testamento. Para outros, a palavra *Tarot* é um anagrama do vocábulo latino *rota*, que significa roda, em referência à contínua mudança que prevalece neste mundo, ligando-se ao mesmo tempo com a tradição hindu da roda da vida *e* com o *I Ching*, o livro chinês das mudanças. Curiosamente, as cinco letras da palavra *Tarot* contêm as três da palavra *Tao* (o caminho), sendo este também o significado da palavra árabe *Tariga*, etimologia preferida pelos que sustentam a teoria de que o Tarô foi composto por um grupo de sábios do norte da África. Por si, só isto seria pouco. Na região do norte da Itália, de onde procedem as primeiras referências históricas ao Tarô, há um rio denominado *Taro*, nome que, segundo alguns, foi dado ao jogo inspirado em certas cartas orientais trazidas pelos mercadores que chegavam a Veneza (naquela época, a cidade de Veneza era o porto principal de todo o comércio com a Ásia).

A realidade é que, até o dia de hoje, a origem do seu nome, como a origem do próprio *Tarot*, continua oculta, atrás do mais profundo dos mistérios.

Os primeiros dados históricos

Ainda que os primeiros jogos de carta tenham surgido na China, ao redor do século X da nossa era, está para ser demonstrado que tivessem alguma semelhança com o *Tarot* ou com outros jogos de cartas europeus. De fato, as primeiras referências historicamente comprovadas sobre o *Tarot* procedem dos meados do século XV. Um manuscrito religioso, datado do final daquele século, inclui o sermão de um sacerdote franciscano que, por volta do ano de 1450, arremete contra os jogos em geral, qualificando-os de invenção diabólica e menciona especificamente

três: os dados, as cartas e os "triunfos". Os jogos de cartas já eram populares, pelo menos há cem anos antes, e as referências históricas são abundantes: no ano de 1332, Afonso XI, rei de Leão e Castela, proibiu seus cavalheiros de entreterem seu ócio jogando cartas. Em 1377, um monge suíço faz uma minuciosa descrição do jogo de cartas e dos seus quatro "naipes" – ouros, copas, espadas e paus – mas não faz referência aos "triunfos" (hoje Arcanos Maiores). No ano de 1480, um autor chamado Covelluzo disse que as cartas haviam chegado à Itália no ano de 1379, trazidas pelos árabes do norte da África, sem mencionar nelas os Arcanos Maiores. Um documento da corte do rei Carlos VI da França (1380 – 1422), datado no ano de 1392, registra um pagamento efetuado ao pintor Jacquemin Gringoneur por "três jogos de cartas coloridos e adornados", porém, se desconhece se tais jogos incluíam também os "triunfos". Curiosamente, no mesmo ano de 1392, o rei Calos VI ficou louco. A grande popularidade que o jogo de cartas havia alcançado, já nos meados do século XV, entre todas as classes sociais, torna-se evidente através da ordem emitida pelo alto magistrado de Veneza, no ano de 1441, proibindo a importação de baralhos, a fim de proteger a produção local. O Parlamento inglês promulgaria uma lei similar no ano de 1464. Não obstante, o citado sacerdote franciscano é o primeiro a mencionar os "triunfos" e seus nomes, que são bastante parecidos com os atuais Arcanos Maiores: *el bagatello, imperatrix; imperator; la papesa; el papa; la temperantia; l'amore; il carro triunfale; la forteza; la rotta; el gobbo; lo impichato; la morte; el diavolo; la sagitta; la stella; la luna ; el sole; l'angelo; la iustizia; el mondo y el matto*. Por outra parte, diferencia-os claramente do "jogo de cartas", como se tratassem de algo totalmente distinto.

Assim, tudo parece indicar que, em algum momento, possivelmente na primeira metade do século XV, os triunfos ou Arcanos Maiores fundiram-se ou foram incorporados aos jogos de cartas já existentes, há pelo menos cem anos atrás. De onde

um pouco de história

procediam tais "triunfos" - e quem tenha sido seu autor ou autores – continua sendo, até hoje, um profundo mistério.

Os mais antigos Tarôs existentes na atualidade

O Tarô mais antigo que chegou aos nossos dias é o de Visconti Sforza, pintado à mão (crê-se que por Bonifacio Bembo), em meados do século XV. Pelo que parece, foi produzido como um presente em comemoração às bodas de Bianca Maria Visconti (filha de Filippo Maria Visconti, duque de Milão) com o *condottieri* (soldado profissional) Francesco Sforza, celebradas no ano de 1441. Na atualidade, existem onze versões deste *Tarot*, todas incompletas; a maior delas, que consta de 74 cartas, foi bastante reproduzida. Os Arcanos Maiores e as figuras não trazem números nem nomes. Não se tem informação certa a respeito de qual das versões existentes é a mais antiga. Muitas das cartas mostram os escudos de armas de ambas as famílias.

Por outro lado, na Biblioteca Nacional de Paris, conservam-se 17 cartas antigas, a maioria delas Arcanos Maiores, de margens prateadas e fundos dourados. Ainda que, em repetidas ocasiões, tenha sido sugerido que estas cartas fizessem parte dos jogos comprados pelo rei Carlos VI, em 1392, não há nenhum dado que o confirme. Efetivamente, incluindo as vestimentas das figuras, parecem ser de uma época bastante posterior.

Nos fins do século XV, os Tarôs italianos e franceses (de Marselha), e também os de todo o resto da Europa, já tinham evoluído com diferentes desenhos. Desde princípios do século XVI até meados do século XVIII, sua metamorfose quanto a conteúdo, estilo, desenho e tamanho foi, contudo, a maior. Sem dúvida, a invenção da Imprensa, no início do século XV, ajudou enormemente a sua difusão, pois, em vez de serem pintadas à mão, as cartas já eram impressas com moldes de madeira. No começo do século XVII, o Tarô mais comum era o de Marselha,

considerado hoje como o pai de todos os Tarôs modernos, e que ainda continua sendo o mais popular, principalmente nos países de língua francesa.

O Tarô de Mantegna

Opinam alguns que as cartas do Tarô, com seus símbolos e suas virtudes, podem ter sido derivadas de um sistema de cartas utilizado pelo ensino infantil. Assim parece sugerir o chamado Tarô de Mantegna, composto de cinqüenta cartas que procedem – ao que parece – do final do século XV. O Tarô de Mantegna está dividido em cinco séries de dez cartas cada uma, designadas com as letras E (ou S) D, C, B e A, estando cada série dedicada a um tema:

E (ou S) - Ocupações dos homens.	
Mendigo	Servo
Artesão	Comerciante
Senhor	Cavalheiro
Duque	Rei
Imperador	Papa

um pouco de história

D - *Apolo e as musas*	
Calíope	Urânia
Terpsícore	Erato
Polímnia	Tália
Melpômene	Euterpe
Clio	Apolo

C - *Artes liberais*	
Gramática	Lógica
Retórica	Geometria
Aritmética	Música
Poesia	Filosofia
Astrologia	Teologia

B - *Princípios Cósmicos*	
O Gênio do Sol	O Gênio do Tempo
O Gênio do Mundo	A Temperança
A Prudência	A Fortaleza
A Justiça	A Caridade
A Esperança	A Fé

A - *Sistemas Celestiais*	
A Lua	Mercúrio
Vênus	O Sol
Marte	Júpiter
Saturno	A Oitava Esfera
O Primeiro Movimento	A Causa Primeira

Ninguém sabe atualmente o significado das letras que identificam cada uma das cinco séries, porém, é certamente muito curioso que vinte duas das cartas de Mantegna tenham uma semelhança notável com dezesseis cartas do Tarô, treze Arcanos Maiores e três Menores.

Nasceu e evoluiu o Tarô como um produto autóctone do norte da Itália ou chegou procedente de outras terras, logo se adaptando e influenciando outros jogos de carta como o de Mantegna?

Tarô e os ciganos

A teoria de que o Tarô chegou na Europa trazido pelos ciganos foi mantida com veemência durante séculos. Estes começaram a chegar em solo europeu, procedentes da Ásia Central, a partir do ano de 1411, o que, cronologicamente, seria factível, porém não há um único indício que apóie esta teoria – nem tampouco nenhuma outra – no que se refere à origem do Tarô. A propensão divinatória dos ciganos parece corroborar isto, ainda que, novamente, não se encontre nenhuma referência escrita, e além do mais, as artes divinatórias dos ciganos costumam orientar-se para outros campos: basicamente, a leitura das linhas da mão. Não obstante, o ocultista francês Papus disse em seu livro *O Tarô dos Boêmios*:

> "'Os boêmios possuem uma bíblia; esta bíblia facilita-lhes o viver diário, pois com ela predizem a boa sorte; esta bíblia é também um motivo contínuo de ócio, posto que lhes permite entreterem-se jogando'.
> Sim, este jogo de cartas, denominado Tarô, que os boêmios possuem, é a bíblia das bíblias. É o livro de Toth-Hermes-Trimegisto, é o livro de Adão, é o livro da revelação primitiva das antigas civilizações.

*Quando o **maçom**, homem inteligente e virtuoso, perdeu a tradição; quando o sacerdote, igualmente inteligente e virtuoso perdeu seu esoterismo, os boêmios, homens ignorantes e viciosos, dão-nos a chave que nos permitirá explicar todos os simbolismos.*

Como não admirar a sabedoria destes iniciados que utilizaram os vícios e os fizeram produzir, para o bem, maiores resultados da virtude?

Este livro de cartas dos boêmios é um livro maravilhoso. Este jogo, com o nome de Tarô, Tora ou Rota, formou sucessivamente a base do ensinamento sintético de todos os povos antigos.

Onde o homem do povo não vê outra coisa senão um simples passatempo, os pensadores encontram a chave desta obscura tradição..."

Vemos que Papus atribui aos ciganos um importante papel na conservação e difusão do Tarô, ainda que em nossos dias sejam poucos os que compartilham abertamente desta opinião.

O redescobrimento do Tarô: Court de Gébelin

Durante os séculos XV E XVI, o jogo do Tarô (ou cartas com trunfos) floresceu em toda Europa; assim, no ano de 1622, um sacerdote jesuíta comentava que, na França, jogava-se muito mais o Tarô que o xadrez. Entretanto, até fins do século XVII, as coisas mudaram. Sua popularidade declinou rapidamente. Um livro de jogos publicado em 1726 o qualificava já como "obsoleto" e tudo parecia indicar que o Tarô cairia definitivamente no esquecimento popular para ser conhecido tão somente pelos historiadores especializados.

Não obstante, uma série de circunstâncias, decorridas a partir do ano de 1775, deram-lhe nova vida, e mais, o converteriam

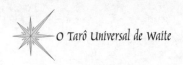

em algo muito diferente de um simples jogo de cartas que até então havia sido.

Corria o citado ano de 1775, quando a António Court de Gébelin – erudito sacerdote protestante e franco-maçon – foi ensinado o jogo de um baralho, noutrora popular, que estava já totalmente esquecido. Ao serem mostradas, uma a uma, as cartas do Tarô de Marselha, Court de Gébelin sentiu-se automaticamente fascinado por elas, e de imediato seu simbolismo perfilou-se muito claramente na sua mente. Deduziu por intuição que se tratava de um antigo livro egípcio, cujos desenhos continham toda a sabedoria daquela civilização já extinta, e atribuiu-o ao poderoso deus egípcio Toth. Posteriormente, recopilou seus trabalhos sobre o Tarô num livro que intitulou *Jeu de Cartes* (Jogo de Cartas).

A grande reputação de Court de Gébelin fez com que suas idéias sobre o Tarô se popularizassem com rapidez, para o que contribuiu muito um vidente e adivinho profissional que se fazia chamar por "Etteilla" (transposição do seu nome real Alliette). Etteilla era um apaixonado pelos temas egípcios que adotou o Tarô como instrumento divinatório e apoiou totalmente a teoria de sua origem, adornando-a com novos detalhes da sua pesquisa, assim como a data da sua criação, 171 anos depois do Dilúvio, e a identidade dos seus criadores, composta por 17 magos sob as ordens diretas de Hermes Trimegisto num templo, distante três léguas de Menfis. Lamentavelmente, quando, dezoito anos depois, graças à Pedra Rosetta, a maioria dos hieróglifos egípcios pôde ser traduzida, não apareceu neles, nenhuma referência ao Tarô, mas não por isso perdeu força a teoria da sua origem egípcia; além do mais, a idéia, comum durante séculos, de que os ciganos procediam do Egito, seguiu de alguma maneira apoiando tal crença.

O notável é que, graças a Court de Gébelin, o Tarô deixou de ser um simples e esquecido jogo de cartas para se converter em algo muito mais sério e transcendental, dotado agora de muita profundidade, mistério e esoterismo.

O Tarô e a Cabala: Elyphas Lévi

Ainda que Court de Gébelin já tivesse notado certa correspondência entre as 22 lâminas do Tarô e as 22 letras hebraicas, quem realmente elaborou com pormenores esta relação foi Alphonse Louis Constant, mais conhecido como Elifas Levi. Nascido em 1810, havia se preparado para ser sacerdote, logo exerceu o jornalismo, e finalmente dedicou sua vida ao estudo da magia e do ocultismo. Na sua obra-prima, *Dogma e Ritual de Alta Magia*, publicada no ano de 1854, manifesta que o Tarô foi sua principal fonte de informação. De fato, Elifas Levi viu no Tarô uma poderosa conexão com muitas tradições ocultas – entre elas, supostamente, os mistérios egípcios – não obstante, a profunda relação que captou entre os 22 trunfos do Tarô e o alfabeto hebraico, levou-o inclusive a estabelecer uma nova origem:

> *"Quando em Israel cessou o sacerdócio soberano, quando todos os oráculos do mundo permaneceram silenciosos ante a Palavra que se converteu em Homem, quando se perdeu a Arca, profanou-se o Santuário e foi destruído o Templo, os mistérios de Ephod e Theraphim já não foram gravados a ouro e pedras preciosas, senão que também foram escritos, ou melhor, desenhados pelos sábios cabalistas, primeiro em marfim, pergaminho ou couro prateado, e logo em simples cartões, os quais foram sempre objetos de suspeita por parte da Igreja oficial, por conterem a chave dos mistérios. Destes cartões derivaram-se os Tarôs, cuja Antiguidade foi revelada a Court de Gébelin, através da Ciência dos hieróglifos e dos números."*

Elifas Levi, entretanto, não somente viu o Tarô como uma relíquia ou um sistema de símbolos procedente da Antigüidade, mas também como um instrumento totalmente prático, como uma chave para ascender à sabedoria atemporal:

"O Tarô é de fato uma máquina filosófica, que evita que a mente divague, mantendo, ao mesmo tempo, toda a sua iniciativa e liberdade. São as matemáticas aplicadas ao Absoluto. São as alianças do positivo e do ideal. É uma loteria de pensamentos tão exata quanto os números. Talvez estejamos diante da maior e mais simples criação do gênio humano em todos os tempos. Alguém, preso numa cela, sem outro livro, senão o Tarô, pode, em poucos anos – se souber como usá-lo – adquirir todo o conhecimento universal e ser capaz de falar sobre qualquer tema, com inigualável precisão e eloqüência."

A emoção de Elifas Levi é compreensível se levarmos em conta que, desde o ponto de vista cabalístico, o alfabeto hebraico é algo mais que um simples sistema de escritura: é uma expressão de todos os feitos e de todas as forças da criação, organizada na estrutura conhecida como a Árvore da Vida, composta por dez esferas ou *Sephiroth*, as quais estão conectadas por vinte e dois caminhos da sabedoria, cada um deles designado por uma letra hebraica. Elifas Levi relacionou cada um dos 22 Arcanos Maiores do Tarô aos 22 caminhos da árvore, e posteriormente acomodou também os Arcanos Menores, criando assim um sistema completo que integrava o número, a palavra e a imagem. Esta síntese havia sido, durante séculos, o grande sonho dos investigadores esotéricos.

Um pouco de história

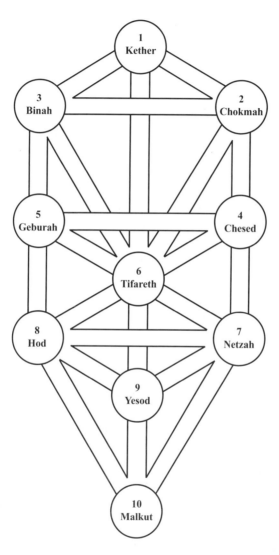

A Árvore da Vida

Com o passar do tempo, os 22 Arcanos Maiores foram destinados aos 22 caminhos da Árvore da Vida de formas diferentes. A seguinte é uma das mais usuais:

Caminho	Tarô	Letra hebraica	Equiparável
1 (de Kether a Chokmah)	O Louco	Alef	A
2 (de Kether a Binah)	O Mago	Beth	B
3 (de Kether a Tiphareth)	A Sacerdotisa	Gimel	G
4 (de Chockmah a Binah)	A Imperatriz	Daleth	D
5 (de Chokmah a Tifareth)	O Imperador	Heh	
6 (de Chokmah a Chesed)	O Papa	Vau	V
7 (de Binah a Tifareth)	Os Enamorados	Zain	Z
8 (de Binah a Geburah)	O Carro	Cheth	C h
9 (de Chesed a Geburah)	A força	Teth	T
10 (de Chesed a Tifareth)	O Eremita	Yod	I
11 (de Chesed a Netzah)	A Roda da Fortuna	Kaph	K H
12 (de Geburah a Tifareth)	A Justiça	Lamed	L
13 (de Geburah a Hod)	O Enforcado	Mem	M
14 (de Tifareth a Netzah)	A Morte	Nun	N
15 (de Netzah a Hod)	A Temperança	Samekh	S
16 (de Hod a Tifareth)	O Diabo	Ayin	H W
17 (de Tifareth a Yesod)	A Torre	Peh	P Ph
18 (de Yesod a Netzah)	A Estrela	Tzaddi	Ts
19 (de Netzah a Malkut)	A Lua	Coph	K Q
20 (de Yesod a Hod)	O Sol	Resh	R
21 (de Hod a Malkut)	O Julgamento	Shin	Sh
22 (de Malkut a Yesod)	O Mundo	Tau	Th

Um pouco de história

O Tarô nos fins do século XIX. Papus

As idéias de Elifas Levi foram recolhidas e ampliadas por outros ocultistas posteriores, entre eles Paul Christian, que, em 1863, publicou *O Homem Vermelho das Tulhérias*, obra que exerceria grande influência sobre várias gerações de ocultistas. Ainda que nela o Tarô não seja nunca nomeado, as alusões são abundantes: Christian descreve, por exemplo, um grande círculo formado por setenta e oito lâminas de ouro, que uma vez estiveram ocultas num templo de Menfis, cumprindo cada uma delas uma função específica no processo de iniciação aos antigos mistérios.

No ano de 1888, ocorreram dois fatos que tiveram grande transcendência na história do Tarô: o marquês Stanislas de Guaita e o Dr. Gérard Encausse, Papus, fundaram a Ordem Cabalística da Rosa Cruz. Um ano depois, Guaita e o pintor Oswald Wirth produziram uma versão revisada do Tarô clássico, que continua sendo editada na atualidade. Ao mesmo tempo, Papus publicava sua obra *O Tarô e os boêmios*. Seguidor de Elifas Levi, Papus elaborou e refinou as idéias esboçadas por este, e sua obra compõe-se basicamente de interpretações cabalísticas do Tarô e de fundamentos de tipo mágico. Papus levou a um passo adiante o que fora dito por Court de Gébelin sobre a origem do Tarô. Segundo ele, os sacerdotes egípcios decidiram deliberadamente dar a seus segredos a aparência de um jogo:

> *"Inicialmente, os sacerdotes pensaram que estes segredos deviam ser confiados a um grupo de homens virtuosos, recrutados secretamente pelos próprios iniciados para que os transmitissem de geração em geração. Um dos sacerdotes, entretanto, percebendo que a virtude é coisa muito frágil e muito difícil de encontrar, propôs confiar suas tradições científicas não à virtude, mas ao vício. O vício, segundo ele, nunca desaparecerá totalmente, por ele e através dele*

podia assegurar-se a permanência dos princípios que queriam eles transmitir à posteridade. Evidentemente, a opinião deste sacerdote foi a que prevaleceu e por ele se selecionou um jogo. Então, gravaram-se pequenas placas com as misteriosas figuras que representam os mais importantes segredos científicos, e assim os jogadores de cartas transmitiram esse Tarô de geração em geração, muito melhor do que o teriam podido realizar os homens, os mais virtuosos."

Ainda que, na realidade, o Tarô dos boêmios seja mais um livro de magia que de Tarô, a meticulosidade de Papus, ao argumentar e apoiar cada uma das suas afirmações o põe em destaque entre as numerosas obras de ocultismo publicadas na França na Segunda metade do século XIX.

Criação do Tarô moderno. A Golden Dawn

Outro sucesso importante que ocorreu em 1888 foi a criação da Ordem Hermética da Aurora Dourada (*The Hermetic Order of the Golden Dawn*). Fundada em Londres por um notável grupo no qual se encontravam não apenas aficionados à magia, mas também verdadeiros eruditos como William Butler Yeats (prêmio Nobel de literatura) e Gerald Kelly (posteriormente presidente da Real Academia), a *Golden Dawn* durou apenas alguns anos, mas sua influência sobre o ocultismo do século XX tem sido impressionante e, de fato, continua chegando até nossos dias.

Um dos fundadores da *Golden Dawn*, o Dr. Wynn Wescott, entrou em contato com Samuel Lidell Mathers (que logo se fez chamar por Mac Gregor Mathers), que havia escrito um livro de adivinhações sobre o Tarô e o convidou a se unir à recém criada sociedade. Rapidamente, MacGregor Mathers converteu-se na principal força impulsora da *Golden Dawn* e no seu mais proeminente teórico. Dotado de um grande engenho e de notável

Um pouco de história

carisma, excêntrico e autoritário, Mathers foi o autor da maioria dos rituais mágicos da Ordem.

Sob sua liderança, a *Golden Dawn* criou um sistema mágico moderno, que integrava de um modo coerente diferentes disciplinas: a cabala, o Tarô, a alquimia, a astrologia e a numerologia, junto à experiência visionária, a magia ritual. Os membros da *Golden Dawn* eram pesquisadores sérios que deviam realizar um impressionante trabalho, passando por uma série de iniciações cada vez mais complicadas, estudando as diversas matérias citadas, participando de rituais e tratando de conseguir visões espirituais. Além do que, deviam trazer um diário, nele pormenorizando todas as suas experiências e, sobretudo, deviam meditar diariamente sobre as imagens do Tarô.

Na *Golden Dawn,* o Tarô adquiriu um contexto esotérico que nunca antes havia tido. Foi relacionado coerentemente com quase todas as tradições antigas e, o que é mais importante, foi utilizado de um modo muito criativo. Cada membro devia desenhar seu próprio Tarô, baseando-se nas instruções que recebia da Ordem. Os triunfos ou Arcanos Maiores (que então passaram a se chamar "chaves") foram considerados como portas, através das quais a imaginação penetrava em níveis profundos e imateriais do ser. Às diferentes cartas se lhes consignaram distintos "graus" ou níveis, e eram aplicadas profusamente em numerosos rituais e iniciações.

Dissolução da Golden Dawn

Até o ano de 1900, no seio da *Golden Dawn* já haviam surgido várias facções, que eram cada vez mais fortes e divergentes. Mathers vivia então em Paris com sua esposa Moina (irmã do filósofo Henri Bergson) e, a partir de lá, tratava de controlar os membros de Londres, através de cartas e remessas, mas sua autoridade real decaía sem remédio. Sabe-se que, numa tentativa de

recuperar sua posição anterior, divulgou a notícia de que Wescott havia falsificado um importante documento relativo à fundação da Ordem. Isto precipitou mais as coisas. Yeats, que sofreu enormemente com aqueles escândalos, escreveu numa carta confidencial à sua amiga Lady Gregori: *"Ultimamente passei muito mal. Já te contei que havíamos tirado Mac Gregor da Cabala. Pois bem, na semana passada mandou um louco – a quem tempos atrás havíamos negado a iniciação – para que tomasse posse dos bens e dos documentos da sociedade..."*

O "louco" em questão era Aleister Crowley, membro da ordem "externa" e, nesta ocasião, jovem protegido por Mathers. Crowley, que, disfarçado com uma túnica celta e com uma máscara negra no rosto, tratou de tomar posse dos documentos e da parafernália da sociedade e teve de ser retirado à força pelos guardas. Segundo palavras de Yeats, a iniciação e a passagem ao círculo "interno" lhe haviam sido negados porque se supõe que a *Golden Dawn* era uma sociedade mística, e não um manicômio".

Este episódio, todavia, precipitou ainda mais a desintegração da Ordem, de cujos restos surgiram logo numerosas sociedades esotéricas, algumas das quais continuam funcionando atualmente. Dado que o Tarô havia sido um dos temas mais estudados de todo o seu sistema, cada um dos mencionados grupos criou logo seu próprio Tarô, "aperfeiçoando" o da *Golden Dawn*, e supostamente um livro (ou vários) interpretando-o. Deste modo, a dissolução da *Golden Dawn* originou um crescimento e a difusão do Tarô ainda muito maior do que nunca antes houvera.

um pouco de história

O Tarô de Waite

Dentre os tarôs que surgiram das cinzas da _Golden Dawn_, aquele criado por Arthur Edward Waite é o mais significativo. Sem dúvida é o mais conhecido de todos os tarôs modernos e que, quase cem anos depois, ainda continua sendo também o mais difundido.

Waite era um estudioso que havia traduzido para o inglês as obras de Papus e de Elifas Levi, entre outras, e que, em 1903, foi encarregado do templo londrino da _Golden Dawn_, infundindo-lhe no ao, uma orientação mais mística do que mágica. Yeats e um nutrido grupo de membros que preferiam o caminho da magia iniciado por Mac Gregor Mathers separaram-se então, criando por sua vez, a Ordem Stella Matutina.

Waite estava decidido a corrigir muitos mal-entendidos e especulações que existiam acerca do Tarô, denunciando em sua obra _A Chave pictórica do Tarô_, publicada em 1910, a origem egípcia do mesmo, juntamente com outras fantasias pseudo-históricas muito difundidas. De fato, colocou o Tarô sob uma luz totalmente nova e marcou a pauta para a grande parte do que seria escrito sobre este tema durante todo o século XX:

> _"O Tarô é uma representação simbólica de idéias universais em que se baseiam a mente e o comportamento humano e, neste sentido, contém uma doutrina secreta na qual é possível aceder, pois, de fato, já está na consciência de todos nós, ainda que o homem comum passe pela vida sem reconhecê-la. Esta doutrina existiu sempre, quer dizer, sempre houve uma minoria capaz de aceder a ela e tem sido registrada e transmitida através de obras e tradições secretas como a Alquimia e a Cabala."_

Uma importante contribuição de Waite à interpretação do simbolismo do Tarô foi a inclusão da alquimia junto à cabala.

Para Waite, a alquimia era um processo psicológico e espiritual, onde a finalidade do adepto seria purificar seu ser interior e alcançar níveis de consciência cada vez mais elevados. O Tarô desenhado por ele e projetado por Pamela Colman Smith foi publicado em 1910, pela empresa Rider & Co. (daí o nome Rider-Waite, pelo qual também é conhecido). Uma das muitas inovações introduzidas por Waite, e que já seriam seguidas por quase todos os tarôs posteriores, é a inclusão de cenas e paisagens nos Arcanos Menores.

O *Tarô universal* é uma atualização do Tarô de Waite, no qual se avivaram as cores e foram incrementados detalhes às ilustrações. Foram acrescentadas as letras hebraicas nos Arcanos Maiores e alguns detalhes foram modificados, sendo introduzidos outros procedentes da *Golden Dawn*, a fim de ressaltar algum ponto da simbologia. Da mesma forma, muito dos comentários deste livro –sobretudo os divinatórios- acerca das diferentes cartas estão baseados nos ensinamentos da *Golden Dawn*.

O Tarô de Crowley

O nome de Waite é bem conhecido por todos os interessados no Tarô; o aluno mais famoso da *Golden Dawn* é sem dúvida o já mencionado Aleister Crowley (autodenominado "a Grande Besta", "Fater Perdurado" e "Mestre Therion").

Na sua vida são abundantes a excentricidade e o escândalo – em seus rituais mágicos, por exemplo, as drogas e o sexo não eram ingredientes estranhos – não obstante, foi um sério estudioso do esoterismo, muito perceptivo e com uma grande imaginação. No ano de 1938, Lady Frieda Harris pediu-lhe que trabalhasse com ela num Tarô que pensava desenhar, influenciada pela leitura do livro de Ouspenski, *Um novo modelo do Universo* (onde Ouspenski descreve com detalhes suas idéias e

um pouco de história

suas teorias sobre o Tarô, basicamente sob um enfoque cristão). A colaboração entre Harris e Crowley durou seis anos e o resultado foi um Tarô muito atraente e totalmente distinto dos existentes até então, com uma rica simbologia procedente da cabala, da franco-maçonaria, dos rosa-cruzes, da magia, da alquimia, da psicologia, do budismo, da astrologia, da química e das matemáticas, por citar apenas algumas das tradições e das ciências. No ano de 1944 – um ano antes da morte de Crowley – foram impressos apenas 200 exemplares, não sendo realmente editado até o ano de 1969.

Também em 1944, Crowley publicou sua obra-prima, *O Livro de Toth*, na qual explica seu Tarô com uma sensatez e uma originalidade que surpreendem seus detratores.

Segundo ele, o Tarô devia ser entendido como uma representação pictórica das forças da Natureza, tal com as concebiam os homens da Antigüidade e conforme o simbolismo convencional. É bastante irônico que Crowley tenha intitulado sua obra *O livro de Toth*, pois ele não acreditava que houvesse vínculo histórico algum entre o Tarô e a antiga civilização egípcia, "inclusive no caso de que se chegara a conhecer, a origem do Tarô carece totalmente de importância", diz na introdução.

As idéias de Crowley sobre o Tarô eram basicamente as da *Golden Dawn*, enriquecidas com os novos descobrimentos científicos – tanto no campo da física como no da nova psicologia de C.G. Jung - para ele, o Tarô era um instrumento simbólico, cuja utilização prática podia converter-se num caminho do conhecimento, da transformação e da iluminação.

O Tarô Universal de Waite

Outros herdeiros da Golden Dawn: o Tarô de BOTA

Todos os Tarôs mencionados até agora e os personagens históricos relacionados com eles são marcadamente europeus. Entretanto, aproximando-se a terceira década do século XX, o espírito americano irrompeu também no mundo do Tarô. As sociedades secretas, as referências veladas e os aristocratas excêntricos foram, pouco a pouco, cedendo seu lugar a organizações totalmente práticas, que não duvidaram de empregar para seus fins os mesmos meios que companhias como a Ford ou a General Motors utilizavam para incrementar suas vendas a cada ano.

Talvez a figura mais significativa desta época seja Paul Foster Case. Quando jovem, trabalhou no teatro como ilusionista e mago, sendo as cartas um dos seus instrumentos prediletos. Posteriormente, seus estudos sobre o Tarô levaram-no ante o capitólio nova-iorquino da *Golden Dawn*, onde foi admitido no ano de 1910. Poucos meses depois, faleceu o líder e Paul Foster Case foi nomeado para substituí-lo, passando assim a converter-se na máxima autoridade da *Golden Dawn* nos Estados Unidos e no Canadá; não obstante, sua relação com o referido grupo foi-se deteriorando pouco a pouco, até que, finalmente, no ano de 1920, Case formou sua própria escola, a qual denominou Construtores do "Adytum", mais conhecida como BOTA por suas iniciais em inglês (Builders of the Adytum). Paul Foster Case publicou seu livro *O Tarô* em 1927 e o *Tarô de BOTA* em 1931, sendo este muito parecido ao de Waite, ainda que, com a particularidade de que os desenhos são em branco e preto, a fim de que o usuário os possa colorir pessoalmente, era algo parecido ao que se fazia na *Golden Dawn*. No ano de 1933, Case transportou BOTA para Los Angeles, onde construiu um templo colorido, dedicado ao Tarô e à cabala, a partir de onde começou a difundir seus cursos por correspondência a todo o mundo, os quais continuam sendo distribuídos com notável

Um pouco de história

êxito em nossos dias, em vários idiomas. Paul Foster Case fez também seu aporte aos já numerosos mitos sobre a origem do Tarô, criando-lhe, ou pelo menos lhe divulgando um novo cenário:

> *"Segundo uma certa tradição oculta, até pela qual me inclino, na realidade, o Tarô foi inventado lá pelo ano 1200 de nossa era, por um grupo de adeptos que se reuniam periodicamente na cidade de Fez, em Marrocos. Após a destruição de Alexandria, Fez converteu-se na capital científica e literária do mundo. Ali chegavam sábios de todos os países, cada um falando sua própria língua, o que complicava suas reuniões, devido às diferenças de língua e de terminologia filosófica. Assim, criaram um instrumento que incluísse os pontos mais importantes da sua doutrina, na forma de um livro de imagens, cuja combinação dependesse da oculta harmonia dos números."*

Ainda que totalmente fundamentados nos ensinamentos da *Golden Dawn*, o enfoque de Paul Foster Case sobre o Tarô é novo e fresco, em parte porque, junto às associações cabalísticas de cada um dos Arcanos Maiores (também chamados "chaves" como na Golden Dawn), inclui uma interessante dimensão psicológica em que incorpora as teorias psicológicas de Freud e de Jung, acrescentando-lhe, além do mais, ao estudo das cartas, um aspecto mais aberto, mais americano. Case, que morreu no ano de 1954, foi substituído à frente do BOTA por Ann Davies.

 O Tarô Universal de Waite

O Tarô na segunda metade do século XX

Dois estudiosos do Tarô, procedentes também da *Golden Dawn* e que merecem ser mencionados são Manly P. Hall e Israel Regardie. O primeiro deles publicou um Tarô no ano de 1930, com base no de Oswald Wirth. Na sua obra, *Um Ensaio sobre o Tarô*, disse Manly P. Hall:

> *"As cartas não podem ser explicadas tão somente estudando os próprios hieróglifos, pois seus símbolos passaram por muitas fases e modificações. Uma geração trás outra redesenhou o Tarô, até finalmente deixar muito pouco do original. O estudante deve ver mais além das cartas e deve tratar de descobrir a psicologia que as produziu. Como qualquer outra forma de simbolismo, o Tarô reflete inevitavelmente o ponto de vista de quem o interpreta. Isto não diminui seu valor, pois o simbolismo é um dos instrumentos mais práticos na aprendizagem das artes espirituais, já que extrai dos recursos subjetivos do pesquisador a substância da sua própria erudição."*

Israel Regardie foi membro da *Golden Dawn* – na sua última fase – e discípulo de Aleister Crowley. Após romper com este em 1934, transferiu-se para a Califórnia, onde publicou quatro volumes sobre os documentos da *Golden Dawn*, revelando pela primeira vez ao público, os detalhes dos seus rituais e das suas práticas. Tanto Manly P. Hall como Israel Regardie viveram e continuaram publicando livros até fins da década dos oitenta.

A partir de 1970, as obras sobre o Tarô e os novos desenhos dos Tarôs proliferaram de maneira surpreendente, sendo em geral a qualidade quase tão notável como a quantidade. A produção de Tarôs, tanto nos Estados Unidos como nos diversos países europeus –destacando-se entre eles a Itália – não cessou de aumentar, e a beleza e a originalidade de alguns novos

Um pouco de história

desenhos é admirável, muitos deles, inclusive, rompendo com as rígidas teorias e os significados historicamente consignados às cartas. Ao mesmo tempo, o fato de que eruditos amplamente reconhecidos – como Mircea Eliade e, principalmente, Carl Gustav Jung – tenham se ocupado com toda seriedade aos temas chamados "esotéricos", entre os quais o Tarô ocupa um lugar especial, conferindo-lhe uma categoria de que nunca antes – pelo menos na história atualmente conhecida – houvesse desfrutado. De outra parte, o interesse do público por este instrumento de adivinhação e de autoconhecimento parece ter disparado nos últimos anos. Nos primórdios do século XXI, o Tarô é um dos temas incandescentes da chamada "Nova Era", e as vendas de Tarôs e de livros sobre eles –que durante quase duas décadas estavam enlanguescidas – estão experimentando um inusitado ressurgimento. As páginas da Internet dedicadas ao Tarô são muito abundantes – tanto as informativas como as que oferecem leitura linear – e a qualidade de algumas delas é mais que notável. Tudo parece indicar que o presente século será o século do Tarô.

Usos do Tarô

" Com o passar do tempo, descobri que o Tarô é um instrumento de trabalho precioso, um guia seguro, prudente e sábio. Pude dar-me conta do seu poder e vi que através de suas imagens pode-se descobrir a Deus."

Colette.

O Tarô como instrumento de meditação e de autoconhecimento

Fisicamente, o Tarô é apenas uma série de cartões com curiosos desenhos neles pintados, mas resulta que estes desenhos são totalmente simbólicos. Podemos dizer que o Tarô não fala outra linguagem e não oferece outros recursos, senão os simbólicos. O oculto significado dos seus emblemas converte-se num alfabeto que admite combinações infinitas, e todas elas tem um sentido. Nos níveis

mais elevados chega a nos oferecer a chave do mundo e a chave da alma humana, e nos mostra uma via para conhecer-nos a nós mesmos. "Quem se conhece a si mesmo conhece o seu Senhor", dizia um grande sábio sufi. Neste sentido, o Tarô é um poderoso instrumento de investigação mística e de autoconhecimento, cujo valor dificilmente se poderá superar. Para Paul Foster Case, a função mais importante do Tarô é evocar pensamentos e potencialidades da alma humana, e cada uma das suas cartas corresponde a um aspecto do nosso próprio ser interior. Deste modo, o fato de concentrar-se sobre o Mago ajuda a desenvolver os poderes de concentração e atenção; ao fazê-lo sobre a sacerdotisa, estimula-se a memória.

A Imperatriz desenvolve a imaginação criativa, o papa, a intuição, e assim sucessivamente. No seu livro *The Tarot, a Key to the Wisdom of the Ages*, recomenda realizar uma meditação diária de cinco minutos de duração, olhando uma das cartas, sem pensar em nada, com a intenção de que o ato de contemplar tal figura evoque e ponha em funcionamento no nosso subconsciente o poder ou os poderes que correspondem a ela. Nesse sentido - como dizia Elifas Levi – alguém trancado numa cela, sem nada mais que um baralho de Tarô, poderia possuir todo o conhecimento do universo.

Uma simples meditação de poucos minutos cada dia sobre as cartas do Tarô, e especialmente sobre os Arcanos Maiores, pode produzir resultados surpreendentes em nosso desenvolvimento. É conveniente realizá-la sempre na mesma hora, num lugar tranqüilo, onde não vamos ser interrompidos nem perturbados. Também é aconselhável ter um diário no qual anotamos tanto as idéias que surjam durante a própria meditação – e que deverão ser automaticamente apanhadas da mente para que esta se centralize novamente na carta e em nada mais – como os sonhos, os sucessos relevantes ocorridos durante o dia, as coincidências e as idéias que surjam espontaneamente como uma força especial. Para aqueles que se interessem em aprofundar-se

Usos do Tarô

neste tipo de estudo e de meditação sobre o Tarô, incluímos, no final do livro, os dados de BOTA.

Os seguintes atributos dos Arcanos Maiores podem servir de guia para este tipo de meditação:

O Louco	O princípio criador
O Mago	Vontade
A Sacerdotisa	Inconsciente, união
A Imperatriz	Natureza, luz
O Imperador	Construção, ordem
O Papa	A intuição
Os Enamorados	Divisão, momento de decidir
O Carro	Dominar as emoções
A Força	O trabalho
O Eremita	O mestre interior
A Roda da Fortuna	Conciliação, aceitação
A Justiça	Equilíbrio
O Enforcado	O oculto, a renúncia
A Morte	O ilusório
A Temperança	A experiência como base do conhecimento
O Diabo	A renovação, o humor
A Torre	A transformação
A Estrela	A meditação
A Lua	A consciência corporal
O Sol	A fertilidade
O Julgamento	O eterno
O Mundo	Realização, liberdade

Um simples exercício

Outra forma de utilizar o Tarô com esta finalidade meditativa: estender os Arcanos Maiores, com as cartas de costas, numa mesa ou superfície plana diante de nós, seguidamente, realizar cinco respirações profundas, tranqüilizando logo a mente para observar as cartas, uma a uma, conforme vão atraindo nossa atenção, procurando não pensar em outra coisa, mas registrando as imagens que espontaneamente nos venham. Talvez nos centralizemos numa carta ou nalgumas poucas, não há regras para este exercício, o importante é observá-las com atenção, deixando que seja a vista que selecione as que mais nos atraem e que, seguidamente, se pouse nelas o tempo que for desejado. Se surgem idéias, as anotamos logo, em caso contrário, devemos recordar que a linguagem simbólica do Tarô está trabalhando sobre nossa mente subconsciente, organizando padrões e talvez transmitindo-nos – sem passar pela mente consciente – uma parte da sabedoria e dos conhecimentos que seus criadores encerraram nestes estranhos desenhos (ainda que, na realidade, o processo ocorra justamente pelo inverso: é nossa mente subconsciente a que, estimulada e informada pelo simbolismo do Tarô, realiza valiosos reajustes internos). Nunca se insistirá demasiadamente na importância de trazer um diário onde anotemos tudo o que for relacionado a estes exercícios.

Não há que esperar resultados espetaculares, mas, sem dúvida alguma, as mudanças que ocorrem em nossa mente, em níveis profundos, ficarão incorporadas em nosso comportamento e em nosso redor: no caminho e na trajetória que seguirmos a nossa vida. O sistema educativo atual, totalmente cartesiano, esqueceu, há muito tempo, que os ensinamentos mais importantes não entram em nós através da mente consciente. Existem muitos professores, porém poucos Mestres. Esta forma de transmitir informação não é supostamente exclusiva do Tarô. Há seres humanos que nos ensinam com sua simples presença. Há lugares cuja influência também é deste tipo e, supostamente, esta é a forma de ensinar dos verdadeiros Mestres da Humanidade, estes seres que não por estarem fora do alcance dos nossos sentidos físicos são menos reais.

Num nível menos transcendente, o Tarô pode ser também uma ferramenta muito útil. Por exemplo, nessas ocasiões em que não somos capazes de recordar um nome – nós o temos na ponta da língua, como se habituou a dizer –uma breve contemplação da Sacerdotisa, mantendo a mente em branco é suficiente para que a palavra rebelde saia espontaneamente para a superfície de nossa mente.

O Tarô como instrumento divinatório

A utilização do Tarô como instrumento divinatório, é, pelo menos, tão antiga como o seu uso para a meditação e o trabalho interior e, concluindo, muito mais freqüente e popular. Desde os dias de Etteilla até a época atual, a palavra Tarô não costuma evocar no homem comum outro sentimento que o de as artes divinatórias e tudo o que a elas estiver relacionado.

Entretanto, como funciona o Tarô? Como é possível que algumas simples figuras pintadas numas peças de cartolina nos digam o futuro ou nos aconselhem sobre algo que conscientemente não somos capazes de adivinhar?

Contudo, além da mente consciente, que é a que você está utilizando para ler estas linhas e a que todos utilizamos habitualmente em nossos afazeres diários, existe uma parte de nós mesmos da qual não nos habituamos a perceber, e a que lhe foi dado chamar de mente subconsciente. Segundo afirmam distintas correntes filosóficas, desde há milhares de anos, esta parte de nós mesmos sabe de tudo, conhece tudo e, portanto, pode predizer tudo. O tempo e o espaço não têm sobre ela o mesmo rígido domínio que exercem sobre nosso corpo ou sobre nossa

mente consciente. Segundo o psicólogo suíço Carl Gustav Jung, a mente subconsciente está em contato permanente com o inconsciente coletivo: um vasto depósito onde se acumulam todos os conhecimentos, toda a sabedoria e todas as experiências da humanidade, desde os primeiros habitantes desta terra até os nossos dias.

Qualquer uma que tenha sido a sua origem, as figuras do Tarô parecem ter sido idealizadas de acordo com certos padrões deste inconsciente coletivo: ele explicaria porque são tão eficazes para vir à superfície e trazer para a consciência conhecimentos dos quais não temos acesso geralmente, pois, nós, seres humanos, fomos constituídos de forma tal que entre o consciente e o inconsciente existe uma barreira bastante difícil de franquear, e o tipo de vida ocidental, totalmente voltado para o externo e que despreza os mais tênues sinais que geralmente nos chegam do lado subconsciente (em forma de sonhos, premonições, intuições, sinais etc.), não fez nada mais senão reforçar a mencionada barreira.

O fato é que estes conhecimentos inconscientes aí estão, muitas vezes, dir-se-ia que pulsando para sair, tão somente à espera de que tranqüilizemos a mente consciente, de que nos apartemos por um momento do ruído mundano e olhemos, ainda que seja timidamente, em direção ao nosso interior. O Tarô é um instrumento muito útil para facilitar que aflorem os referidos conhecimentos. Assim, parece que a mente inconsciente influi, sem percebê-lo, nos movimentos de embaralhar, cortar e escolher as cartas, de modo que estas, ao serem descobertas, tenham uma relação muito direta com o assunto que se quer consultar. O tipo de conhecimento que o Tarô nos dará do inconsciente, nós o decidimos. Daí seu uso meditativo, de desenvolvimento ou divinatório.

O que se pode perguntar? Qualquer coisa, mas o tipo de pergunta que se faz é muito importante para determinar a resposta que o Tarô nos irá fornecer. O acerto da resposta está em função da exatidão da pergunta. Quanto mais precisa for a pergunta, mais precisa será a resposta. Se sua pergunta é vaga e geral, a sua resposta também será assim; se a pergunta é formulada com muitos detalhes, espere uma resposta muito pormenorizada.

Naturalmente, também é importante que, no momento em que formule a pergunta, sua mente esteja centrada. Se estiver nervoso e ansioso, ainda que estes sentimentos não tenham nada a ver com a pergunta, as cartas do Tarô lhe darão uma resposta sobressaltada e errática, que será difícil interpretar. É bom ter a mente tranqüila. Entretanto, tampouco é necessário fazer ioga e meditar antes de fazer uma pergunta (ainda que, naturalmente, não lhe traria nenhum dano!). Tudo o que tem a fazer, é deixar de lado suas preocupações durante um momento, acalmar a mente, observar tranqüilamente a respiração sem pensar em nada... e logo... perguntar.

É necessário dizer que a crença no Tarô é um componente essencial do processo. Você deve crer que o Tarô não apenas pode responder-lhe, mas também o fará. Sem esta crença, tudo é inútil. Se for outra pessoa quem lê o Tarô para você, também deverá, pelo menos, considerar o conselho que esta pessoa lhe dê e não desprezar suas palavras como se fossem os desvarios de um louco. O Tarô funciona apenas para aqueles que desejam ouvir. Se alguém não quer que o ajudem, não existem meios para que o Tarô o faça. A fé atua como uma ponte entre os diferentes níveis do ser, entre diferentes níveis da existência, e por esta ponte pode circular a energia (o mesmo ocorre em certos tipos de cura ou em muitos atos religiosos). Sem fé não há ponte e não se pode receber nada.

Se você quer ser ajudado e crê que pode obter uma resposta, significa que está pronto para fazer uma pergunta.

Também há ocasiões, nas quais, à primeira vista, você poderia pensar que a resposta que o Tarô lhe dá não tem relação alguma com a pergunta que foi feita, nem com a sua

situação atual. Nestes casos, não deve precipitar-se em fazer tais tipos de juízo. Vale a pena que se conceda um tempo para refletir sobre a resposta que as cartas lhe deram, assim como sobre a sua pergunta. Em algum momento, a resposta se tornará clara em sua mente.

Leia cuidadosamente os significados de cada carta, conforme vierem explicados na seqüência, tendo em conta que estas são apenas algumas idéias iniciais, que irão ajudá-lo a começar a construir uma relação com o Tarô, que tem que ser única e pessoal.

Se alguma das idéias ou dos significados atribuídos a uma carta que você tenha lido neste livro ou noutro lhe parecerem inadequados, desfaça-os sem mais demora e aplique os seus no lugar.

Reflita sobre as descrições dadas e detenha-se um momento para pensar a respeito do que cada uma das cartas diz a você, pois, novamente, a informação que damos aqui, não pretende ser senão um guia que o inicie e o estimule a realizar suas próprias descobertas.

3

Os Arcanos Maiores

As 22 cartas que compõem os Arcanos Maiores, ou "triunfos", contêm o significado e os mistérios mais profundos. Cada um dos 22 Arcanos Maiores reflete um aspecto do nosso próprio ser, um aspecto das energias que formam o mundo em que estamos imersos e, inclusive, um aspecto da divindade. Noutra ordem das coisas, os 22 Arcanos Maiores representam uma progressão, nos mostram a passagem da alma humana pelo mundo, vida após vida, no seu caminho ascendente até a compreensão, até o conhecimento e a perfeição. Sem dúvida, as 22 cartas

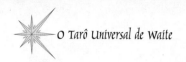

que formam os Arcanos Maiores são as partes mais importantes do Tarô, sem elas, não seria outra coisa que um baralho de cartas. Quem sabe qual é realmente seu significado, e se algum dia se consiga descobrir totalmente. É possível que este significado jamais nos possa chegar de uma fonte externa e devamos buscá-lo em nosso interior. De fato, algumas escolas limitaram seu estudo do Tarô a estes 22 Arcanos Maiores.

Os seguintes comentários sobre os Arcanos Maiores são apenas um guia inicial, uma simples indicação que sirva ao estudante como ponto de partida para suas próprias averiguações e experiências.

Os Arcanos Maiores

O Louco: o espírito

Sem o conceito do zero, nosso sistema matemático não teria sentido. Do mesmo modo, o Louco é uma parte essencial do Tarô, porque é a faísca que faz com que tudo se mova no espírito, o alento divino que dá vida e inspira o primeiro passo até a realização e a consumação. Ainda que, às vezes, o primeiro passo num trajeto longo pareça pequeno, esse primeiro passo é vital porque sem ele não haveria viagem! O Louco é a causa subjacente após todos os efeitos. O poder oculto, após todas suas manifestações, e a semente do fim semeada em todo início. É o nada do qual surge tudo. O Louco é o potencial sem ter sido moldado, puro e inocente, nem positivo, nem negativo, ainda que contenha a possibilidade de ambos. É a alma incondicional a ponto de manifestar-se pela primeira vez para começar a aprender as lições do mundo. Apesar de todos o chamarem de louco, ele não lhes presta atenção e simplesmente segue seu caminho. Sem dúvida, o que lhe dizem pode ser justificado, já que sua ignorância sobre o mundo pode levá-lo a fazer coisas que pessoas com mais experiência nunca imaginariam. Nestas coisas, porém, ele pode encontrar conhecimento e esclarecimento. Não se preocupa com o que os outros pensem ou digam a seu respeito, porque sabe que o que faz é bom para ele. Seu enfoque sobre a vida é raro e pouco convencional, já que faz o que lhe resulta em comodidade. Para muitos, o ponto de vista do Louco pode ser extravagante, escandaloso e, inclusive, alarmante, mas é tudo o que o Louco sabe, e visto que a única aprovação de que necessita é a sua, continuará com sua vida, apesar do que dele pensem todos os demais. Tem uma fé total em si mesmo. Talvez não tenha nada de louco. O Louco não se esconde a si mesmo da luz, porque ele é a luz, a luz maravilhosa que brilha em cada criança antes de ver o mundo e ser forçado a construir paredes e barreiras para proteger-se. Com esta inocência vem a confiança total e audaz em outros e a total confiança em si mesmo, que lhe permite ver o mundo com novos olhos de querer aprender mais coisas a cada dia de sua vida. Pense em como melhoraria o mundo se todos atuassem desta maneira!

É lastimável que apenas as crianças e o Louco vejam essa luz.

O Louco costuma representar inícios, experiências e opções novas; os primeiros passos de um novo caminho e as primeiras palavras escritas numa página em branco. Como os Ases dos Arcanos Menores, esses inícios não são nem positivos

Os Arcanos Maiores

nem negativos, mas têm o potencial de tornarem-se qualquer dos dois, conforme as decisões que você tome e o caminho que siga. Isto, porém, não deve preocupá-lo, porque, quando se inicia uma viagem, ninguém sabe o que acontecerá no caminho. Nunca permita que outra pessoa controle sua vida. Viva o presente e confie em sua capacidade, como o faz o Louco.

Estas viagens sempre implicam um certo risco, por isto, o Louco é representado caminhando até a beira de um alto penhasco. Como em todas as experiências novas existe o risco de falhar, há também a certeza de uma mudança; o grau desta mudança e como aparecerá é o que não sabemos.

O Louco não tem temores na hora de assumir os riscos, porque você sim? Através dos primeiros passos é como aprendemos a caminhar e, por meio das mudanças aprendemos, a viver em harmonia e paz. Atire-se ao abismo do desconhecido e saiba que, se eventualmente cair, logo se levantará.

Significado: Decisão importante. A pessoa encontra-se diante de uma escolha que deve decidir com cuidado, mas também com coragem e, sobretudo, atendendo a sua intuição e seus impulsos. Os riscos podem ser assumidos.

Inverso: Há perigo de que se escolha mal. É aconselhável atuar com a máxima precaução e prudência.

Os Arcanos Maiores

O Mago: a vontade

O Mago é o numero Um, o número da criação e da individualidade; seu poder é a transformação por meio da vontade. O Mago pode tomar o nada do que surgiu o Louco e dar-lhe forma de algo, fazendo um de zero. Sem dúvida, este é um poder divino e, na realidade, o Mago é o conduto de um poder superior que domina todo o mundo material. Dado que o único que

podemos ver no mundo físico é o conduto, às vezes os atos que realiza o Mago nos parecem mágicos. O nome do Mago pode parecer estranho para alguém que tem um poder real, já que a palavra "mago" evoca a imagem de um ilusionista, cujo único poder é a habilidade manual e a desorientação. Não obstante, em muitos aspectos o Mago é também similar ao ilusionista. Ele está seguro da sua destreza e da sua habilidade para produzir os efeitos que deseja. Seu poder real provém de forças externas a ele e não tem poder sem estas fontes, pois depende de quem está "atrás do cenário", de modo igual ao ilusionista. Não obstante, tanto o mago como o Mago são da mesma forma importantes para seus poderes, como seus poderes são para eles. Sem um conduto, o poder em si mesmo é importante e inútil.

Com seus poderes, o Mago tem influência sobre tudo: teoria e prática, lógica e emoção, pensamento e ação. O símbolo do infinito indica seu poder ilimitado, que lhe vem de fontes externas, mas que está sob seu controle. E enquanto o Mago recordar que possui este poder, ainda que perca toda a sua habilidade terrena, não poderá chamar-se de impotente, pois sua vontade é um poder que, ainda que possa ser submetido, nunca poderá ser destruído.

Outra associação quase universal com o Mago é o esquema vermelho e branco. Este tema repete-se em todo o Tarô e é muito simbólico, que comece com esta carta e não com o Louco. Enquanto que o Louco era o potencial, a possibilidade do positivo e do negativo, o Mago é a união do positivo e do negativo. Ele cria e conserva, destrói e redime. Seu verdadeiro poder é que não apenas sabe o que deve fazer, como também sabe como fazê-lo e porquê. E o faz. O Mago nos recorda que apenas desejar não mudará nada, porém, uma decisão pode mudar tudo. O desejo de criar não é nada sem a habilidade de criar e vice-versa. Quando aparece o Mago, ele indica que você está pronto para converter-se em conduto do poder, como ele é. As forças da criação e da destruição sempre estiveram sob seu

Os Arcanos Maiores

domínio, porém, agora você tem a sabedoria e a confiança necessárias para usá-las de maneira construtiva. Agora é o momento de atuar, se você sabe o que quer conseguir e porquê. Dado que os poderes de transformação estão sob seu domínio, converta seus desejos em objetivos, seus pensamentos em ações, suas metas em resultados. E se recentemente fracassou, agora pode converter este fracasso em êxito, tão fácil como o Mago transforma o fogo em água. Os únicos limites que tem são os que você mesmo se impõe.

As manifestações externas desse poder são tão numerosas como diferentes, porém, o efeito exterior mais comum da influência do Mago é o não poder ser influenciado e a confiança total. Dar-se conta de que o mundo está sob o seu controle é o que inspira este tipo de confiança. Saia ao mundo, fixe sua mente na meta em que está interessado, e logo dê um passo atrás e observe enquanto tudo cai em seu lugar, sob seu controle. Por último, a mensagem do Mago é simples, apesar do seu poder complexo, ilimitado e infinito. Sua vida está sob o seu controle. Sua vida é o que você quer que seja. Sua vida é como você a faz.

Significado: Vontade, domínio, capacidade de organização, talento criativo. A capacidade de assumir o poder lá de cima e de dirigi-lo lá para baixo, até a manifestação, com resultados positivos.

Inverso: Indecisão, incapacidade, inaptidão, bloqueio das energias criativas, medo de experimentar e de provar coisas novas, uso do poder com fins destrutivos.

Os Arcanos Maiores

A Sacerdotisa: *a sabedoria oculta*

De todos os Arcanos Maiores, a Sacerdotisa (também chamada a Papisa) é o mais difícil de qualificar apenas com palavras, já que muitos dos seus poderes e suas habilidades estão cobertos pelo véu do mistério e é difícil que alguém o compreenda totalmente. Cada carta do Tarô diz algo diferente a cada um, mas a Sacerdotisa é a que permite uma série mais ampla de interpretações, porque

fala diretamente. Ela é a Voz Interior ao nosso inconsciente. Ela é a manifestação do inconsciente e do mistério em nosso mundo cotidiano. Com freqüência, o fato de tratar de ver como funcionam estes mistérios destrói seu propósito e a Grande Sacerdotisa deve explicar-se com todo detalhe possível, mas tendo isto em mente. A Sacerdotisa é, sobretudo, a base de onde surge o poder manejado pelo Mago. Ela é o potencial ilimitado que permite a ele transformar e criar o que deseja sua vontade. A chave para descobrir alguns dos mistérios da Sacerdotisa é entender este tipo de equilíbrio, como o equilíbrio entre o potencial e a criação, entre o masculino e o feminino. Em vez de integrar os opostos, a Sacerdotisa os mantém separados e, não obstante, em equilíbrio. Ela é a balança em si mesma; este simbolismo é encontrado em muitos baralhos do Tarô. Não pode existir poder sem este equilíbrio. O segundo motivo simbólico que se encontra em quase todas as representações da Grande Sacerdotisa são os símbolos do inconsciente. No *Tarô universal de Waite* este motivo é especialmente notável, mas, na maioria dos baralhos, figura pelo menos uma imagem lunar, que como sabemos, está vinculada ao inconsciente. A maioria dos Tarôs que incluem a simbologia dos pilares gêmeos também representa um véu estendido entre ambos os pilares; a Grande Sacerdotisa está entre nós e este véu, como moderadora. Atrás do véu encontram-se os poderes do inconsciente que não podemos entender, mas que, através dela, podemos aprender a controlar. Ela é a porta de acesso aos reinos que nunca compreenderemos nem dominaremos por completo. Apesar de que, para qualquer um seria impossível aprender todos os mistérios e os segredos da Grande Sacerdotisa, ela continua sendo um guia para os que desejam aventurar-se nas profundidades da mente, a fim de descobrir os verdadeiros poderes escondidos no mais profundo do nosso íntimo. Este é o mesmo poder que se representa no Mago, porém, o alcance do poder da Sacerdotisa é muito diferente. Enquanto o Mago enfoca seus poderes no exterior,

Os Arcanos Maiores

para conseguir um efeito significativo no mundo, a Grande Sacerdotisa nos mostra que também podemos usar estes poderes num nível interior, para enriquecer-nos e transformar-nos a nós mesmos. Sem dúvida, estas transformações não são tão espetaculares como as do Mago, porém, quase sempre são mais poderosas.

A Grande Sacerdotisa representa os mistérios do inconsciente e da Voz Interior, e com freqüência seu aspecto é um sinal de que a nossa própria intuição trata de enviar-nos uma mensagem. Às vezes, o inconsciente nos fala com símbolos, assim como vigia seu ambiente em busca de qualquer coisa que pareça fora do comum. Dito isto, se é preciso que se tome uma decisão importante, a Sacerdotisa, quando aparece, costuma indicar que se você é paciente e está aberto aos sussurros que lhe chegam do seu interior, as respostas lhe serão reveladas. Apenas tem que esperar e receber as mensagens. O ensinamento da Grande Sacerdotisa diz que: "tudo o que você necessita saber já existe no seu interior".

Ao falar da Sacerdotisa, tampouco se pode evitar o tema da dualidade. Com freqüência este arcano é um signo da sombra, da parte negativa da nossa personalidade que nada vê e de que você mesmo pode não ser consciente.(Neste sentido, o termo "negativo" não se refere ao mal apenas, mas ao oposto da parte positiva e expressiva da nossa personalidade). Se você aceita esta sombra que há em seu interior, os poderes da Sacerdotisa se abrirão para você, se é que deseja usá-los. Na maioria das pessoas, o lado da Sombra representa a passividade, portanto, a Sacerdotisa pode decidir pela necessidade de manter-se passiva em alguma determinada situação. Nem sempre é necessário atuar, às vezes os objetivos são atingidos melhor através da inatividade.

Significado: O futuro desconhecido. As influências ocultas. De especial significação para todo tipo de artistas.

	Para um homem pode representar a mulher ideal, perfeita. Para a mulher, pode indicar a possibilidade de possuir ela mesma essas virtudes.
Invertido:	Gozo sensual. Engano. Conhecimento superficial. Indicação de que estamos ignorando os impulsos que nos chegam do interior; talvez nos indique que estamos buscando uma confirmação externa a tudo, antes de comprometer-nos.

Os Arcanos Maiores

A Imperatriz: a ação frutífera

A Imperatriz representa o ponto mais alto da filosofia dualista dos primeiros Arcanos Maiores, assim como dos ensinamentos espirituais destas três cartas. Agora, o Tarô começa a tratar com a unificação do espírito, mais do que com uma dicotomia simples de positivo e negativo, de mente e corpo. A Imperatriz é a última parte desta tríade. Representa o corpo físico e o mundo material. Dela provém todo o prazer dos sentidos e a abundância da vida em todas as suas formas. A Imperatriz simboliza o arquétipo da mãe, e através dela teremos o vislumbre do poder do amor no Tarô.

O mundo da Imperatriz é o lugar perfeito, formoso, ideal, totalmente natural, sem cores, luzes, nem sons artificiais. É um lugar de generosidade e fertilidade, uma representação viva do processo de criação e nascimento que a Imperatriz mesma simboliza. Ela não apenas vive neste lugar, mas também é o lugar, assim como a Sacerdotisa é o equilíbrio que mantém apartado o positivo do negativo. A Imperatriz não é menos bela que as flores que espalham seu aroma nos campos, não é menos fértil que o solo abaixo do seu trono. Se algo representa a idéia da Mãe Terra no Tarô, é a Imperatriz.

Seu principal poder, igualmente ao dos Arcanos anteriores, é o poder da criação. Porém, sua criação não se baseia no mundo em que ela deseja viver ou na pessoa que deseja ser, porque ela já tem esse mundo e ela já é essa pessoa. Ela cria a vida em suas formas infinitas. A Imperatriz é o arquétipo da mãe, a criadora máxima e a doadora da vida, assim suas relações se estendem mais além da criatividade, da fertilidade, do embaraço e da intimidante tarefa da maternidade, a qual sempre enfrenta com um sorriso e com alegria. A ela, comprazem todas as coisas e, em particular, suas criações. Tudo na natureza é criação dela.

A Imperatriz também representa a idéia do amor incondicional que está unido ao tema da maternidade. Ela não pede, não põe condições, ama tudo por igual e com todo seu poder. Pode-se dizer que disto deriva sua única debilidade real, algo com o que todas as mães se confrontam em algum momento. Muitas vezes é demasiado protetora com suas criações, e não deseja nenhum mal a elas. Isto interromperia a sorte e a felicidade eterna do seu reino. Entretanto, tal como está, o reino da Imperatriz é a representação tanto da beleza como da inatividade.

Os Arcanos Maiores

Assim, pois, o amor da Imperatriz pode fazê-lo sentir-se tão seguro como nos braços de uma mãe, ou também pode tornar-se uma prisão, se dura muito tempo. Quando a Imperatriz aparece na sua vida, deve fazer um esforço especial para abrir-se ao seu amor perfeito e incondicional. Desta maneira, pode parecer-se mais com ela: amável e afetiva, graciosa e elegante. Às vezes estas qualidades são descuidadas, mas também são úteis num mundo duro e apático. Assim, em vez de caminhar pausada e pesadamente pela vida, conceda-se o tempo para celebrá-la! Com freqüência a Imperatriz pode pressagiar a concepção e o nascimento de uma criança, e nestas circunstâncias, há uma razão ainda maior para celebrar. Inspire a outros para que façam o mesmo; a Imperatriz é líder e o poder que exerce sobre outras pessoas é firme, mas amoroso. Conheça isto e conduza-se como ela o faria. Saiba também que você sempre é livre para desfrutar do amor perfeito e abundante da Imperatriz. Ainda se sabe que logo terá de voltar ao "mundo real"; na realidade, agradariam-lhe umas férias da vida agitada e artificial que a maioria vive nestes dias. Passe algum tempo no exterior, ao ar livre, desfrutando todos os aspectos da criação. E logo, quando regressar para onde estava, o poder e a beleza criadora da Imperatriz continuarão inspirando-o e dando-lhe força. Fortaleça sua convicção inata com a criatividade da Terra e, por associação, fortaleça seu próprio poder criativo. Cultive sua criatividade e distribuirá as sementes que lhe darão uma colheita generosa.

Significado: Criatividade, produtividade, embaraço, maternidade, abundância, boas colheitas, êxito e um ambiente seguro e isento de perigos. Fertilidade tanto mental como física.

Inverso: Inatividade, destruição, perda de colheitas, enfermidade física ou mental, pobreza, problemas num embaraço. Atividade estéril.

Os Arcanos Maiores

O Imperador: liderança, atividade e controle

O Imperador representa o poder da mente para dar-lhe forma ao mundo. Esta ação não se realiza pelo desejo, mas através da palavra falada ou escrita. O Imperador é a representação e o governador do mundo estruturado e regulamentado. Este é um mundo ideal como o da Imperatriz, ainda que nem sempre tão belo ou generoso. Contudo, apenas por ser mais duro, não significa que

não tenha o necessário para a iluminação; pelo contrário, é imprescindível para equilibrar mente e corpo, homem e mulher. O Imperador é o contrário da Imperatriz em muitos aspectos. Ela é a Mãe, ele é o arquétipo do Pai, sábio no conhecimento do mundo e possuindo toda a informação sobre como viver junto aos demais, como parte de uma estrutura. O Imperador possui um coração forte e poderoso, como todo pai deveria ter, mas demonstra este lado de si mesmo através da imposição de lineamentos e regras estritas, como a maioria dos pais. Poder-se-ia dizer que é ainda mais protetor que a Imperatriz, pois ele criou a ordem no caos e não deseja que nada perturbe esta ordem. Sob seus trajes reais esconde-se a armadura que usa com orgulho quando defende aqueles que estão sob sua proteção.

O Imperador nos ensina muitas coisas: a primeira é que toda regra tem um motivo e uma razão de ser. Se pudermos entender isto, talvez este mundo não nos pareça tão limitador. De fato, todas as restrições são pelo nosso próprio bem, porque sem a lei e a ordem que esta carta simboliza de maneira tão poderosa, o mundo cairia na anarquia e no caos. Tanto o governo como a lei extraem dela seu poder, mas diferentemente das figuras de governo nos tempos modernos, o Imperador não pode corromper-se pelo poder. É, na realidade, o amo do seu reino e o governa com mão firme, porém justa. Ouvirá o conselho dos outros, ainda que a decisão final, sempre ele a tomará. A guerra é uma das suas ferramentas, e não vacilará em usar a violência para proteger aqueles que lhe interessam. Os privilegiados aos que protege sempre lhe respondem com a lealdade e o respeito que é merecido. Entretanto, o poder do Imperador não se estende apenas ao controle político. Também é o pai, o modelo do papel masculino que aconselha, guia e dá segurança. Toma o que aprendeu e passa-o à geração seguinte para que, algum dia, outros possam ser tão sábios e generosos como ele é.

Na interpretação, qualquer um dos Arcanos Maiores pode representar pessoas, mas o Imperador é o tipo de energia que

Os Arcanos Maiores

mais às vezes se manifesta na forma de uma pessoa. É evidente que qualquer líder ou pai têm algo da sua influência, mas também pode mostrar a alguém que atue como pai quando ordena e estrutura. É uma força reguladora e assim se associa com o governo, a burocracia e o sistema legal; sua aparição costuma indicar o encontro com um ou mais destes sistemas. O Imperador também pode personificar a usurpação do poder e o controle por si mesmo ou por alguém próximo. Se for você a pessoa que está no poder, deverá ter cuidado e usá-lo sempre com sabedoria.

Sobretudo, o Imperador mostra os benefícios da estrutura e da lógica, governando sobre as emoções e os desejos mais baixos. Às vezes, não se deseja que a mente domine o coração, mas em alguns casos é necessário e, inclusive, agradável. Quando se tem que fazer uma eleição difícil, é importante manter a concentração e o enfoque, e isto é algo que a força do Imperador permite-nos lograr. Desfrute a confiança que lhe dá. Avance com ímpeto e firmeza e faça o que sabe que é melhor. Se puder dominar-se, terá poucos problemas para dominar o mundo e todas as coisas que nele há.

Significado: Liderança, atividade mental, dominação, domínio, paternidade. Ditadura. Paixão, mas sempre controlada pela inteligência.

Inverso: Imaturidade, dependência emocional ou escravidão das figuras de autoridade, já que se trata dos pais ou de outras pessoas. Possibilidade de ser defraudado em heranças. Enfoque excessivamente estreito, falto de iniciativa. A pessoa é homem por fora e criança por dentro.

Os Arcanos Maiores

O Papa: a ortodoxia convencional

O Papa (ou o Hierofante) é o arquétipo do mundo espiritual. Esta é a carta das crenças, tanto religiosas como de outro tipo, apesar de tender a enfocar-se nos aspectos religiosos e espirituais, já que o próprio Papa é representado como um homem santo. Em alguns Tarôs, esta carta é reconhecida como o Papa ou o Santo Sacerdote. Na realidade, o Papa é aquela pessoa que tem conhecimentos "proibidos" ou "secretos". Ainda que se aplique com facilidade aos clérigos, seu alcance é muito maior. De alguma maneira podemos dizer que cada homem e cada mulher são um Hierofante. O Papa pode simbolizar um grupo ou mais de uma pessoa, e, na maioria dos casos, está mais bem representado por uma instituição, mais que por uma só pessoa, pois seu poder é o do grupo e da sociedade que transforma o mundo. Nesta quinta repetição continua o mesmo tema do controle e da mudança que primeiro apareceu com o Mago; todavia, existe um líder bem definido, mas as pessoas não o seguem por serem ordenadas, seguem-no porque são partes do grupo. As principais filosofias do Papa são que não há um "eu" na "equipe" e que o bem-estar de muitos é mais importante do que o bem-estar de um. Tal filosofia pode parecer desnecessariamente restritiva, mas, como o Imperador nos ensinou, a restrição conduz à ordem. O Papa está encarregado de manter e propagar a tradição e as crenças convencionais e esquiva-se de tudo que vá contra estas crenças. Os objetivos do papa são o equilíbrio e a conformidade, e não põe ênfase no positivo nem no negativo; o único que importa é o ensino, a tradição. Em casos extremos, pode ter efeitos negativos, mas na maioria das ocasiões é bom ter algumas tradições para seguir. Exemplos excelentes são as tradições e as cerimônias da Igreja, claramente representadas nestas cartas. Num nível mais pessoal, o Papa também é um mestre. Uma função importante de todo líder espiritual é iniciar os outros e ensinar-lhes os costumes do grupo. É óbvio que aquele que guarda o segredo é aquele a quem se confia as tradições do grupo, que seja o candidato principal para ensinar a outros, e o Papa realiza bem esta função. Ainda que seu enfoque do ensino pareça convencional, e no momento evita as expressões individuais, isto pode ser útil. Até que o aluno não domine os costumes do grupo, não poderá tomar uma decisão adequada sobre permanecer nele ou deixá-lo.

Os Arcanos Maiores

Quando aparece o Papa, costuma-se concebê-lo sob a forma de um mestre que nos instrui nas tradições das suas crenças particulares. Estes mestres nem sempre têm antecedentes espirituais ou místicos; um patrão que treina um empregado novo no funcionamento de um negócio é tão papa como qualquer mestre espiritual ou religioso. Se na sua situação atual parece ter necessidade de mais experiência, você pode fazer uma chamada interior, pode estar aberto à presença de um mestre em sua vida, mas não cometa o grave erro de procurar de modo aberto este mestre. Como diz o velho provérbio, quando o aluno está preparado, o mestre aparece. O Papa também pode representar atividades e crenças de grupos e, em qualquer caso, acentua o apoio às instituições e o respeito pelas regras. Por isso, se você tem planos de realizar algo revolucionário, a repetida aparição do Papa é um bom sinal de que, no momento, deve esquecer-se desta ação e seguir adiante. A maneira tradicional de se fazer as coisas deve funcionar na maioria das vezes, do contrário, não teria durado o suficiente para se tornar uma tradição! Não obstante, quando se prova que uma idéia está equivocada, não há dúvida que é tempo de mudar. O verdadeiro Papa é o que sente um respeito profundo por suas crenças, mas não as seguirá cegamente a ponto de provocar a própria ruína. É o ensinamento externo, assim como a Sacerdotisa representa o ensinamento secreto que se compartilha apenas com os iniciados.

Significado: Ortodoxia, apego às formas externas, ao convencional, ao credo e ao ritual. Tradicionalismo. Necessidade de seguir as normas socialmente aceitas.

Inverso: Rompimento com o convencional. Mente aberta, disposta a aceitar novas idéias e novas formas de pensamento.

Os Arcanos Maiores

Os Enamorados: o amor, a harmonia

A carta dos Enamorados nos fala apenas de amor e de sexualidade, já que tem vários significados, todos relacionados com a dualidade. O conceito dos Enamorados é um poderoso símbolo da união harmoniosa de dois seres, mas também representa a necessidade de uma eleição adequada e alguns conceitos interessantes sobre a relação de nossas mentes conscientes com o

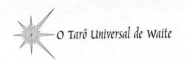

poder que une estes Enamorados. Em nossa cultura, que tem muitas palavras e definições para a emoção do amor, é normal que a imagem do amor expressa no Tarô tenha muitos significados.

Os Enamorados são, principalmente, uma carta de emoções e com freqüência representa um amor com a bênção divina, quer seja de Cupido, de um anjo ou do próprio Deus. Isto parece implicar que apenas algo de bom possa vir dessa união, ainda que com esta carta dualista sempre existe a possibilidade de um final triste, apesar do melhor dos inícios. Além de tudo, o amor é como um fogo que pode acender a chama da paixão, mas também pode consumir e destruir, se usado sem precaução. O amor é algo maravilhoso, mas o amor profano ou não correspondido tem o poder de prejudicar famílias e pessoas. Os Enamorados têm dentro de si a possibilidade desse amor e sempre devemos ter cuidado com isto.

O elemento que rege os Enamorados é o ar e, portanto, é necessário esperar que a maioria dos significados se relacionem com o espírito e a mente. Nesta carta, se representa pela primeira vez o conceito de eleição entre o positivo e o negativo, representado em muitos Tarôs como a antiga simbologia de um homem decidindo entre dois enamorados. Esta encruzilhada moral é também traçada pela carta dos Enamorados e nos diz que devemos considerar todas as conseqüências antes de atuar. A situação pode ser tão simples como uma bifurcação no caminho, com duas vias para escolher, ou uma decisão mais complicada em que nossas crenças e ideais mais firmes tenham que ser postos à prova. É evidente que, nos momentos da difícil eleição, necessitamos de um guia superior.

Contudo, talvez o significado mais importante dos Enamorados seja o representado no *Tarô Universal de Waite*. Esta imagem mostra um homem olhando a mulher, que por sua vez olha a figura divina que está sobre eles. O homem não pode ver o anjo e deve confiar que a mulher o verá por ele. De igual forma, a mente consciente (o homem) não tem acesso direto

Os Arcanos Maiores

aos Poderes Superiores (o anjo). O inconsciente (a mulher) deve ser a ponte entre os planos físico e espiritual. Esta simbologia também mostra o verdadeiro poder do amor, pois, através do amor, podemos contemplar o Céu. Quando numa leitura aparece a carta dos Enamorados, costuma referir-se a uma relação, e quando isto acontece, o relacionamento mencionado será a expressão perfeita do amor entre duas pessoas. Será quase sempre uma relação sexual, ainda que possa não sê-la. Não obstante, tenha sempre em mente a possibilidade de um conflito, apesar do feliz início. O amor é uma chama que não se deve desatender; deve-se alimentá-la e permitir-se-lhe arder todo o tempo com o brilho que for possível. Se não se trata da união física de um homem e uma mulher, os Enamorados também podem mostrar a integração de duas partes de você mesmo que estão em conflito, a masculina e a feminina. A combinação de ambas nos revelará uma grande sabedoria.

Por último, esta carta implica a idéia de eleição, no geral, no plano moral e ético. O exemplo mais comum desta eleição é, tristemente, a eleição entre seu cônjuge e alguém mais de quem você se apaixonou, ainda que possa ser também entre dois possíveis companheiros, aos que ama, mas deles, um apenas pode ser o melhor para você. Olhe-se para dentro e dirija-se ao seu inconsciente em busca de inspiração. Através dele pode ter acesso à sabedoria de que necessita para que sua eleição seja a correta pelo bem de todos os envolvidos. Confie no conselho da sua Voz interior e uma vez que tenha tomado a decisão, não a mude qualquer que seja a oposição com que venha a confrontar-se.

Significado: Eleição, tentação, atração. A luta entre o amor sagrado e o amor profano. Harmonia dos aspectos interior e exterior da vida. Também, amor puro na sua expressão mais elevada. Altruísmo.

Inverso: O amor pode tornar-nos cegos. Infidelidade, lutas. Intromissão dos pais. Possibilidade de realizar má eleição. Pode também indicar a necessidade de estabilizar as emoções.

Os Arcanos Maiores

O Carro: o êxito, o triunfo

De certo modo, é um mistério o porquê o Carro, que é uma carta de força e controle, tenha sido sempre associado ao elemento Água. Entretanto, sua atribuição a Câncer é, na realidade, válida, pois esta carta trata com emoções de uma maneira muito intensa. O Carro é uma carta de controle emocional: o poder da mente para adaptar os desejos do coração e dirigi-los para

uma expressão significativa. Não é o controle emocional do Imperador, que elimina por completo todas as suas emoções em favor da lógica e da razão. O homem que conduz o carro sabe que suas emoções não devem ser banidas nem escondidas, mas devem ser preparadas e usadas para o seu maior bem-estar.

Com freqüência, o triunfo sobre as emoções, tanto positivo como negativo, mostra-se com duas esfinges, uma branca e a outra negra, que puxam o carro. Se estivessem soltas, correriam para qualquer direção que escolhessem, mas aqui se movem somente para diante. Têm, ainda, algo de poder que o homem que sustenta as rédeas o enfoca e dirige. O carro não pode mover-se sem os cavalos ou, neste caso sem as esfinges que puxam por ela, assim como nós não podemos mover-nos sem as emoções que nos motivem. Contudo, sem o controle superior, os cavalos correriam livres, como nossas emoções quando não se controlam. O equilíbrio é necessário.

O Carro personifica o tipo de disciplina necessária para ganhar o controle sobre as emoções, e por este motivo foi escolhido um símbolo militar para esta carta. O propósito das circunstâncias severas que é conferido às milícias é desenvolver a vontade e a habilidade necessária para controlar as emoções e usá-las de maneira produtiva no campo de batalha. Somente através do domínio de si mesmo o homem pode ter domínio sobre outros e sobre seu entorno. A sabedoria e a glória que se logram ao conquistar nossos inimigos não é nada se a comparamos com o incremento na auto-estima que experimentaremos ao vencer nossos medos. Sempre é mais difícil vencer nossos inimigos internos que os externos e, sobretudo nos ensina muito mais. Aplicando devidamente a força das emoções, aprenderemos a alcançar nossas metas com maior rapidez. Alguém como o condutor do carro, que tem um controle total sobre sua vontade e suas emoções, pode conseguir quase tudo.

Com freqüência, a aparição do Carro revela a necessidade de tomar o controle das nossas emoções e, em lugar de gastar a

Os Arcanos Maiores

energia em lamentos e queixas, use-a para levar a cabo as ações e para realizar mudanças no mundo. O medo o debilitará, a menos que você o admita *e* o enfrente. Então poderá usar seu medo de forma construtiva, para suas próprias intenções. Através do controle das emoções, o Carro nos diz: "aprendam a se controlar a vocês mesmos". Quando tiver alcançado esta etapa, tudo será possível! Uma vez que tenha transcendido seus medos, começará a transcender suas restrições, até que nada possa detê-lo no seu caminho para o êxito que você merece. Com freqüência, a aparição do carro é mensageira da vitória. Através da disciplina e da confiança prediz um momento em que toda a oposição será vencida. Se você domina suas paixões e crê no poder da sua vontade, virão grandes sucessos e grandes lucros. Não permita que nada o distraia nem o desvie dos seus objetivos e proceda como o vôo desafiador de uma flecha. Nada está mais além das suas capacidades se você crê no próprio poder.

Significado: Triunfo, êxito, vitória. Controle sobre as forças da natureza. Recuperação da saúde, vitória sobre as penúrias econômicas ou sobre os inimigos de qualquer tipo. É a carta daqueles que alcançam algo de grande. Pode também significar viagens agradáveis *e* cômodas.

Inverso: Vitória pouco ética, ambição excessiva e demasiado centrada no material. Derrota, desastre, má saúde. Pobreza, necessidades. Frustração numa relação sexual.

Os Arcanos Maiores

A Força: o domínio do espírito

O título desta carta é enganoso, pois a maioria das pessoas tende a pensar na força como uma propriedade do corpo físico. Entretanto, esta não é uma carta da força bruta, porque nenhum dos Arcanos Maiores se aplica de maneira direta ao corpo físico. Estas são cartas de idéias, sentimentos e crenças. Tratar de fazer com que um Arcano Maior se represente com corpo forte não

teria sentido, mas a força nem sempre se avalia em termos da quantidade de peso que se pode levantar ou quão rápido se possa correr. A Verdadeira Fortaleza é o caráter firme e a habilidade, não apenas de controlar as emoções, mas de mostrar-se superior a elas e triunfar sobre nossos impulsos e desejos mais baixos. Esta carta continua a lição do Carro, declara que uma vez que aprendemos a controlar as emoções, devemos manter-nos superiores a elas. Muitas pessoas atribuem a esta carta à noção do perdão, da compaixão e da criação, mas não é isto o que se revela com a Fortaleza. É uma carta de Fogo e, portanto, prejudicial a todas as emoções. As únicas qualidades que abundam na Fortaleza são o valor e a paciência. Nenhuma delas é, na realidade, uma emoção, é apenas uma maneira de atuar e de fazer, que não estão mitigadas pelos sentimentos. A valentia é a antítese do medo; a paciência, do controle dos desejos mundanos. Aqui não existem emoções, somente determinação e ação. A simbologia do leão é muito comum e muito apropriada para a Fortaleza. O leão é a "besta interior", o desejo violento que há dentro de cada um de nós e que deve ser controlado ou, pelo contrário, se libertará para manifestar-se ao mundo. A imagem da mulher abrindo as mandíbulas do leão demonstra tanto valor como paciência; não se deve temer o leão, deve-se esperar que se canse antes de poder exercer sua vontade sobre ele. Podemos ver na jovem a pureza da donzela e o poder da fera interior, a quem ela trata de controlar. Necessita de paciência para vencer o leão, porque seu poder não é a força física bruta. Tem muito pouca força, não obstante, pode aplicar uma pressão suave, mas constante e o fará até que o leão se submeta à sua vontade superior. Mostra certa determinação e a convicção de que ainda os resultados pequenos terão um grande efeito se for continuado, como um gotejar constante furaria a mais dura pedra. A Fortaleza não é uma carta de compaixão e amor, mas uma carta de poder calmo, porém inequívoco. Esse poder irradia da

Os Arcanos Maiores

alma, e, para um estado consciente desse poder, não pode existir resistência nem derrota.

As qualidades da Força já estão em você, esperam para aparecer, uma vez que haja dominado todas as suas emoções equivocadas e estiver pronto para seguir as tarefas espirituais que se encontram mais adiante. Sua lição principal é (se deseja tomar consciência da sabedoria espiritual e da intuição): as emoções devem ser transcendidas. Os murmúrios intuitivos costumam ser afogados pelo rugido das emoções, pela preocupação e pelo medo. Somente quando estes tiverem sido eliminados ou emudecidos, poderá ser criado o necessário silêncio. Conquiste seus medos, controle seus impulsos e nunca perca a paciência com você mesmo, nem com o que faz. Um dia verá a sabedoria.

A Força mostra-nos a mente dominando sobre a matéria, a vontade superior sobre os desejos inferiores. Não importa quão forte pareça a fera que existe no seu íntimo, você tem o poder de controlá-la e de submetê-la à sua vontade. Isto não se pode fazer com força física ou com excessiva pressa; é um processo lento e difícil. Não obstante, quando aparecer esta carta, pode ficar seguro de que terá a resistência suficiente para ver o final desta tarefa. Se estiver pressionando com demasiada insistência, a Força nos mostra a necessidade de um retiro momentâneo e de ser paciente. O esclarecimento virá apenas quando for o momento oportuno, não se pode apressá-lo.

Significado: Força de caráter, o poder espiritual vencendo o poder material. O amor triunfando sobre o ódio. A natureza superior sobre os desejos mundanos e carnais.

Inverso: Domínio do material. Esquecimento do espiritual. Discórdias. Carência de força moral. Abuso do poder. Temor do desconhecido existente em si mesmo.

Os Arcanos Maiores

O Eremita: o guia eterno

Quando à nossa mente vierem perguntas sobre a natureza da existência e o propósito da vida, as respostas não as encontrarão no mundo físico. Só podem ser encontradas em nosso interior. Se você se elevou acima dos seus desejos e das suas emoções é porque eles já não lhe serão úteis na sua viagem. Agora é como o Eremita que busca apenas as respostas. A partir de agora, o

Eremita será guiado somente pelos murmúrios da sua Voz Interior e pela luz da sua lâmpada. Em algum momento, também abandonará a lâmpada, porque é artificial e, portanto, temporal. Sua própria luz interior deve aprender a brilhar na ausência da luz de outros. Para que surja a verdadeira sabedoria, não pode haver distrações. Qualquer preocupação mundana, sem importar quão pequena e transcendente que possa parecer, será ouvida como gritos que afogam a silenciosa luz interior. Entretanto, também devemos livrar-nos da confusão interior, não apenas da externa. O isolamento e a separação do mundo são de grande ajuda. Este é o caminho do Eremita que se introduz na obscuridade para que a luz lhe seja revelada quando estiver preparado. Como o Louco, ele está outra vez só, separado de todos os demais. E, desta vez, não apenas por escolha, mas sim por necessidade. Geralmente, visto que aprendeu as lições e reconheceu sua verdadeira sabedoria, o Eremita recolhe sua lâmpada e torna ao mundo real para ajudar a outros, para que também sejam conscientes do seu próprio potencial. Todavia, o Eremita não é um mestre, não instruirá seus alunos, nem lhes falará sobre suas experiências de solidão e de isolamento. Devem experimentá-lo por si mesmos, já que a sabedoria aprendida apenas escutando de outra pessoa não é sabedoria. A verdadeira sabedoria e a verdadeira iluminação sempre vêm do interior. Um mestre pode contar a seu aluno como encontrou a sabedoria, mas o aluno deverá ir e encontrá-la por si mesmo. A sabedoria não se presenteia. Conquista-se com o sacrifício cotidiano e vivendo as experiências que nos traz a vida. Entretanto, as lições da vida não podem ser apressadas, nem podem ser forçadas, nem se fazer que passem antes que tenha chegado o seu momento. O conhecimento converte-se em sabedoria através do sacrifício. Tudo o que deixar aqui, se decidir seguir a chamada do Eremita, aqui permanecerá até seu regresso. Você será o único que terá mudado.

Os Arcanos Maiores

O surgimento do Eremita é uma chamada para aprender mais a respeito de você mesmo e da natureza da sua existência. Todas as pessoas recebem esta chamada em algum momento de suas vidas. Aceite-o como sendo um sinal de que seus problemas e seus assuntos mundanos podem esperar; há um trabalho mais importante no seu interior que tem que ser feito agora. Normalmente, isto deve se referir a algum problema que deverá ser solucionado, ou a uma parte da sua natureza da qual deve tratar antes que prossiga com a situação atual. Somente em circunstâncias estranhas se referirá a uma transformação espiritual, mas quando assim ocorrer, saiba que será uma mudança poderosa, que requererá muito esforço e compromisso. Inclusive, poderia ser mister um retiro de certa duração. O Eremita também pode mostrar-lhe que está chegando um mestre em sua vida. Esta pessoa não lhe ensinará abertamente, mas lhe mostrará como encontrar dentro de você mesmo as respostas que procura. Talvez seja você o mestre que indica o Eremita, em cujo caso deverá ser cuidadoso para não pregar ao aluno, mas sim para guiá-lo. Sua sabedoria não é a do seu aluno, e deve aceitá-lo antes que se produza alguma aprendizagem. Se tiver dúvidas, saiba que toda a sabedoria de que necessita já está no seu interior, apenas esperando para sair. A luz não virá, a menos que a busque, porém, quando o fizer, você verá que tinha dentro de si mesmo todas as respostas.

Significado: Iluminação, conselho silencioso e prudente. Discrição. Sabedoria que nos vem do alto. Instrução por parte de um experto. Necessidade de uma viagem – real ou figurada – para obter certa sabedoria. Encontro com um guia.

Inverso: Negação para escutar a sabedoria. Imaturidade. Obscurantismo. Conselhos imprudentes. Receio de envelhecer ou rejeição à maturidade.

81

Os Arcanos Maiores

A Roda da Fortuna: o destino

A Roda da Fortuna representa um tipo de energia que vai mais além do alcance do nosso entendimento e do nosso controle. Sem dúvida podemos experimentar seus efeitos sobre a vida, do mesmo modo que sentimos sobre nosso corpo a força da gravidade. Todavia, do assim como podemos ver a maçã quando cai, mas não a força que a atraiu, os trabalhos da Sorte e do

Destino são invisíveis para nós. Apenas seus resultados podem ser vistos e ainda somente quando o próprio Destino decreta que é o momento oportuno para que seus efeitos se manifestem. Diferente da maioria dos Arcanos Maiores, a Roda da Fortuna dá voltas nas nuvens, mostra que podemos tratar de alcançá-la, mas que nunca a entenderemos por completo. A Roda é o signo adequado para as forças do Destino e da Sorte, porque mostra como tudo se relaciona em ciclos; alguns poderiam chamá-la de círculo da vida. Tudo se passa nos ciclos; nos elevamos e caímos da mesma forma que um ponto viaja no perímetro de uma roda, desde o ponto mais elevado, passando por todos os pontos possíveis da roda e logo de regresso ao ápice. Não obstante, as mudanças afetarão você, dependendo do lugar da roda em que se encontre. Se estiver no mais alto, qualquer mudança pode derrubá-lo, mas se está no fundo, qualquer mudança poderia fazê-lo subir até o topo. E para que uma pessoa suba, outra deve cair, pois todos estamos relacionados. O destino parece golpear sem aviso, e seus efeitos podem, com freqüência, ser previstos, se é que sabemos onde e como buscá-los. Este é o princípio do Tarô e dos sistemas divinatórios em geral: ver as coisas virem antes que sucedam, para estarmos preparados. É óbvio que se vemos uma roda com a Esfinge para cima, a serpente Tífon à esquerda e Hermanubis em baixo, à direita, e sabemos para onde gira a roda, pode-se dizer para onde irá cada uma das figuras e também onde estiveram antes. Os mistérios do Destino tornam-se menos impenetráveis através da extrapolação cuidadosa. Algum dia, todos poderão captar esta idéia.

A estrutura cíclica da Sorte é, talvez, a única maneira de, na realidade, entender como se manifesta. A conclusão de uma situação encontra-se nos seus primórdios, como o número 10 da Roda da Fortuna é reduzido a um, ao somar seus dígitos. Quando se der conta de que cada princípio nos leva a um final, assim como para a semente de um novo início, compreendeu-se a idéia essencial da Roda da Fortuna. E, uma vez entendida esta

Os Arcanos Maiores

idéia, o universo se abrirá para você, porque agora você estará preparado para entender toda sua sabedoria. Passou o primeiro obstáculo. Mais adiante esperam-no outras lições.

A aparição da Roda da Fortuna mostra, não apenas que ocorrerá uma mudança, mas que segura e rapidamente acontecerá. Na realidade, a natureza desta mudança e seus efeitos dependem de como você entende o funcionamento da Sorte e, se pode ou não se preparar para ela, mas em geral, a mudança mostrada na Roda da Sorte é espetacular, com respeito à ordem estabelecida. Assim, se durante algum tempo ganhou a vida à duras penas, aguarde grandes modificações favoráveis dentro de poucos dias. Contudo, se durante muito tempo, sentiu-se no alto do mundo, feche as escotilhas e mantenha-se em guarda, atento às tormentas, pois é garantido que uma onda vai golpeá-lo, cedo ou tarde.

Independentemente para que lado seja que a Roda da Fortuna o empurre, é impossível tentar modificar o resultado, por isso, é melhor que trate de conviver com este fato. Se parece inevitável que se produza uma crise, lembre-se de que em toda crise se encontra uma oportunidade. Quando se é empurrado a uma nova direção, saiba que todo caminho conduz a algum lugar, ainda que não saiba onde está ele. Nos maus momentos, assim como nos bons, tenha sempre em mente que não durarão para sempre.

Tais fatos estão fora do seu controle e se puder aceitar isto, o jogo torna-se mais fácil. Se lutar contra a Roda, ela o esmagará. O melhor a se fazer é dar voltas com ela!

Significado: Êxito. Golpe de sorte inesperado. Mudança na sorte para melhor. Evolução favorável, segundo as leis do acaso.

Inverso: Fracasso em algum negócio ou empresa. Depressão. Alto e baixos da fortuna. Situação nova que requererá muito ânimo e coragem.

A Justiça: o equilíbrio

Considerando que os Arcanos Maiores não se aplicam diretamente à vida física, entende-se que a Justiça não se refere às leis feitas pelos homens. É verdade que algumas vezes as leis dos homens imitam as leis que a Justiça faz cumprir, e nestes casos raros, a Justiça pode referir-se a elas. Entretanto, no geral, a Justiça refere-se às leis imutáveis do universo, os princípios

invisíveis que mantêm o todo fluindo suavemente através de infinitas cadeias causais. Estas são leis que não se pode violar; podemos apenas cumpri-las. A espada da Justiça, com duplo fio, como sempre, está preparada para castigar aqueles que fizeram o mal e para premiar os que praticaram o bem.

As duas leis mais importantes regidas pela Justiça são, na realidade, duas caras da mesma moeda. Primeiro é a lei de causa e efeito, conforme a qual todos os sucessos estão relacionados e cada estado presente é o resultado de estados passados. Esta é uma idéia estranha, pois, às vezes, ações que parecem insignificantes têm ramificações importantes. A Justiça mostra que qualquer ação que você leve a cabo, algum dia, terá um efeito, e você não terá idéia do referido efeito até que este aconteça. Geralmente esta carta apresenta a Justiça sentada diante de uma cortina; é esta a cortina que esconde as maquinações do universo, que, às vezes, trazem resultados surpreendentes.

À lei de causa e efeito segue-se a lei do Carma, segundo a qual, em algum momento, todas as ações retornarão a você. Talvez se modifiquem um pouco, ou quem sabe se fortaleçam com o tempo, mas a lição continua sendo a mesma. O que tenha semeado, colherá. Na realidade, é uma simples elaboração da lei de causa e efeito. Sob esta nova lei, não apenas tudo o que você faça terá um efeito, mas também tudo o que faça terá um efeito sobre você. É aqui que se torna crucial sermos cuidadosos em nossas ações, porque tudo o que fazemos retornará a nós em algum momento. Perante a Justiça, teremos que responder por todas as nossas ações, boas ou más.

Além do mais, a Justiça ensina-nos a lição mais justa, ainda que seja a mais cruel de todas, pois, como ocorre nas Espadas, sua lâmina tem fio duplo. Não se obtém o que se espera, nem sequer o que se deseja: obtém-se o que é merecido. Se merecer coisas boas, ser-lhe-ão outorgadas, sem cerimônias, nem felicitações. Se merecer um castigo, ser-lhe-á dado, sem compaixão, nem burla. Apenas se nos devolve o que fazemos.

Os Arcanos Maiores

E, considerando que não podemos mudar nossas ações uma vez que as tivermos realizado, se quisermos que nos ocorram coisas boas, teremos que praticar boas ações.

Todos podemos ser santos ou demônios, a eleição é nossa.

Quando nos aparece a Justiça, deveremos tomar como um firme recordatório de que os feitos do passado são a base do presente e do futuro. Se no passado fez algo de que se sente culpado, poderia ser hoje o dia em que terá de responder por seus atos. Se fizer algo pelo que sinta que deve ser recompensado, talvez chegue a recompensa. Em especial, quando aparece a carta da Justiça, cuide das suas ações e assegure-se de não fazer algo de que possa arrepender-se depois. Com freqüência, a Justiça aparece para adverti-lo de que logo lhe serão retribuídos os seus atos. Que sejam estes bons ou maus, depende somente de você.

Apesar de esta carta, em raras ocasiões, representar decisões de juízes, às vezes, pode personificar a atitude de um bom julgamento. Talvez deseje assumir esta atitude para solucionar um problema na sua vida. O arquétipo do juiz apresentado pela Justiça não é a estátua cega dos tribunais, mas uma representação da eqüidade e da autoridade. Seja justo e razoável em todos os seus juízos, nunca tome partido, nunca demonstre compaixão, nem tampouco severidade excessiva. E, sobretudo, antes de julgar os outros, deve estar preparado para julgar-se a si próprio e assegurar-se de que não é culpável dos mesmos erros que os outros.

Significado: Mente equilibrada. Resolução judicial favorável. Recompensa justa. Personalidade desejosa de livrar-se do supérfluo: idéias equivocadas ou errôneas, conhecimentos inúteis etc. Bom carma.

Inverso: Injustiça. Mau resultado num assunto legal ou econômico pendente. É aconselhável que seja cuidadoso ao julgar os demais, evitando a severidade excessiva. Ingratidão. Recompensa injusta.

Os Arcanos Maiores

O Enforcado: o sacrifício

O Enforcado é a única carta do Tarô que se baseia visivelmente numa figura mitológica. É Odin, o Deus escandinavo que esteve dependurado na Árvore do Mundo, durante nove dias, para obter a sabedoria das runas. De todos os personagens que nos mitos das diferentes culturas personificam a busca do conhecimento, somente Odin levou a cabo sua busca sem mover-se,

91

pelo menos no sentido físico. A verdadeira busca é interna, não externa. No início isto pode parecer confuso, mas apenas porque o Enforcado é a carta do paradoxo. Os mistérios do Enforcado estão entre os mais raros, apesar de que, também, entre os mais ilustrativos que nos oferece o Tarô e não podem ser conhecidos mediante lições sobre o mundo físico. Devem ser procurados em nosso interior.

Inclusive, a aparência da carta é enganosa. Com seu desenho simples, é um dos Arcanos mais complexos. As lições que oferece são fáceis de entender, mas difíceis de aceitar quando se aplicam a si mesmo. A resposta mais evidente para um problema pode ser a mais simples, mas raramente é a melhor. Admitir que tem medo lhe dará a força para conquistar este medo. Quando você abandona seu desejo de controle, tudo começa a funcionar como deve. Num mundo em que deve correr o mais rápido que possa para permanecer no seu lugar, o Enforcado lhe diz que pare de lutar e poderá avançar. Dizer isto a outras pessoas é fácil; trate de fazê-lo você mesmo e verá que resulta quase no impossível.

Por que é assim? Dizer a outros que se tem de pendurar-se em uma árvore é simples. Ninguém quer pendurar-se a si mesmo. Não obstante, o Enforcado pendurou-se, e quanta sabedoria veio a encontrar! Ainda que na sua posição incômoda, com freqüência é representado sorrindo e com um halo dourado em torno da cabeça para mostrar a inspiração e o poder divino. É totalmente vulnerável ao mundo e na sua vulnerabilidade encontrou a força. O sacrifício que fez foi sua liberdade e seu poder no mundo físico; em troca, se lhe outorgou liberdade e poder reais no plano espiritual. Abandonou suas antigas formas de pesquisa e agora é o afortunado possuidor de novos olhos. Claro que nem todos os sacrifícios têm que ser como este. Ao decidir comer com um amigo em vez de comer só, sacrifica sua solidão. Se escolher praticar um esporte de forma profissional, significa que não pode praticar outro com a mesma freqüência. Ao optar por um trabalho, sacrifica qualquer desejo de outro, ao menos, no momento. O único traço

Os Arcanos Maiores

comum a todos os sacrifícios é que se renuncia a algo que tem em troca de algo que quer, de igual ou maior valor. Sendo a carta do paradoxo, o Enforcado também o exorta para ver as coisas de uma maneira nova e diferente. Se sua mente lhe grita que faça algo, não fazer nada poderia ser o melhor. Se algo tem importância emocional para você, mas sem nenhum propósito, talvez seja melhor pensar antes de executá-lo. Não trate de forçar as coisas para que algo aconteça enquanto o Enforcado está perto. Ao procurar forçá-las, estará assegurando que nunca aconteçam. Relaxe e deixe que as coisas aconteçam, em vez de tratar de interferir. Em lugar de lutar contra a corrente, deixe que o leve com ela.

Quando o Enforcado aparece, saiba que está iminente uma sabedoria e uma felicidade maior, mas apenas se estiver preparado para sacrificar algo em troca. Às vezes, se lhe privará de algo físico, mas, na maioria dos casos, é uma perspectiva ou um ponto de vista o que tem que ser deixado para trás. Pode ser uma fantasia que nunca poderá ser realizada, ou estar apaixonado por alguém que está fora do seu alcance. Inevitavelmente, sacrificar algo que valoriza o levará sempre a algo mais valioso ainda. Ao despertar de um sonho inatingível, encontrará algo muito mais ao seu alcance. Esquecer um amor lhe permitirá abrir seu coração a alguém mais importante e valioso.

Significado: Renúncia ou sacrifício por motivos superiores. Clarividência. Desenvolvimento das faculdades psíquicas. Conquista da tentação material. Transformação da personalidade através da renúncia ou do sacrifício.

Inverso: Arrogância, egoísmo, auto-satisfação. Não querer romper com o passado. Egolatria. Falsa profecia. Esforços inúteis. Satisfações puramente físicas. Pode representar alguém que unicamente persiga seus fins egoístas, sem pensar em nada para os demais.

Os Arcanos Maiores

A Morte: a transformação

A imagem da Morte cavalgando sobre seu espectral corcel aterrorizaria qualquer um. Este é o efeito que a aparição desta carta tem sobre a maioria das pessoas, ainda que não deveria ser assim. A Morte é uma das cartas mais poderosas do Tarô. É natural que os humanos temam o desconhecido, por isso, a Morte é nosso maior temor, já que é nossa incógnita maior. A

maioria de nós não é consciente de que nossa mente e nosso espírito morrem todo tempo, constantemente rejeitam crenças antigas e adquirem outras novas. Tem-se repetido até a saciedade: a carta da Morte não é uma carta de morte, é uma carta de transformação.

No Tarô, como vida real, a Morte não é mais que uma transição ao nível de vida seguinte. Quer seja que acredite que a alma vai ao Céu ou que volte à Terra para reencarnar-se, persiste o fato de que a alma vive. A vela se extingue, mas apenas porque chega o dia. O rio, que se mostra em muitas versões da carta da Morte, é um símbolo que revela que a vida continua, sem importar os desastres que ocorram. A água do rio chegará ao mar, elevar-se-á às nuvens, logo choverá sobre a terra, para finalmente fluir no rio outra vez. Nada se destrói, porque nada se pode destruir, apenas pode haver transformação.

A única razão pela qual essa transformação representada pela Morte é tão catastrófica é porque, aqueles aos que ela assusta não se dão conta de que esta mudança é benéfica, então a retardam e lutam contra ela. Todas as mudanças se produzem por uma razão e a Morte é uma força absolutamente eqüitativa. Não discrimina algum grupo, nem perdoa outro: todos são iguais ante a Morte. Por isso, se está ocorrendo mudança grande em sua vida, é possível que você seja a razão dessas mudanças. De nada serve lutar contra a morte, pois isto apenas piorará as coisas. Como o Enforcado, aceite que as mudanças têm que ocorrer e deixe-as seguirem seu curso. O bispo que está do lado direito da imagem está dando as boas-vindas à Morte, porque conhece a grande transformação espiritual que traz. Quase todas as versões da carta da Morte mostram um signo de ressurreição ou de renascimento. Pode ser este um sol nascente, um ovo ou uma árvore jovem que brota no corpo de um homem morto. Todos estes símbolos indicam que, para progredir na vida, deve morrer nossa antiga forma, assim como a serpente muda sua pele velha para revelar uma nova pele brilhante.

Os Arcanos Maiores

Esta é a mensagem da carta: devemos conquistar a Morte mediante a regeneração da alma; quem souber isto, viverá para sempre. Quando aparece a carta da Morte, é possível que no seu caminho surjam grandes mudanças. Em geral, referem-se a algo no seu estilo de vida, uma velha atitude ou uma perspectiva que já não é útil e tem que deixá-la ir. Enquanto o Enforcado é uma carta de sacrifício voluntário, a Morte é de sacrifício forçado, mas não significa que ela não seja para seu próprio bem. Às vezes você não pode ver como lhe prejudicam suas atitudes, neste caso, a carta da Morte é uma chamada para despertá-lo. A Morte não é simplesmente destruição; é destruição seguida de renovação. Ainda que uma porta se tenha cerrado, outra se abre. Terá coragem de atravessá-la? Se for assim, antes que siga, tome um momento para olhar para trás. Leva algo que já não lhe seja mais necessário? Deixe-o, antes de prosseguir. Suas velha atitudes estão detendo-o ou o decepcionam com freqüência suas grandes expectativas? Desfaça-as, ou permita que a energia aquosa da Morte as arraste para longe de você. Abra-se e desfaça-se de tudo o que já não necessita: medos, vinganças, intolerâncias etc. As flores não podem florescer se a terra estiver cheia de ervas nocivas que obstruem o solo. Da mesma forma, a dúvida e o medo só retardarão sua iluminação espiritual. Permita que saiam agora ou arrisque-se a que a morte as arranque de maneira dolorosa e inevitável.

Significado: Transformação, mudança e destruição seguidas de renovação. Morte de uma parte de si mesmo. Nascimento de novas idéias e de novas oportunidades. Junto com o Enforcado ou com o Ás, o 3, o 9 e o 10 de Espadas, pode significar morte ou destruição.

Inverso: Medo ou resistência às mudanças, indolência, apatia, estancamento. Há que deixar de lamentar-se pelas velhas estruturas já desaparecidas.

Os Arcanos Maiores

A Temperança: a adaptação

Depois da experiência purificadora da Morte, é necessário reconstruir e melhorar o que ficou. Agora que os velhos hábitos e as crenças se foram para sempre, deve adquirir novas atitudes, a fim de preencher o vazio e estar completo outra vez. Esse processo de reconstrução e de harmonização é o que mostra a carta da Temperança. O verbo "moderar" ou "temperar" significa

modificar ou fortalecer ao agregar um novo componente a uma substância ou mescla existente, e esta definição pode ser aplicada a muitas áreas da vida. Contudo, todas as aplicações da temperança compartilham do tema comum da moderação e do equilíbrio, que culmina na criação de um ser centrado e completo.

Na maioria dos baralhos de Tarô, aparece de alguma forma a simbologia do vermelho sobre o branco, que se viu primeiro no Mago. A Temperança do desejo (cor vermelho) com a pureza (cor branca), formão uma das manifestações fundamentais desta carta, assim como a inversa (pureza com desejo). O anjo usa uma túnica branca e a parte inferior das suas asas é avermelhada. A pureza de coração e de mente nos dá uma base sólida a qual podemos recorrer, mas apenas através do desejo de crescimento poderemos nos desenvolver.

A Temperança também pode referir-se à chegada simultânea de dois diferentes seres que devem funcionar como um. É evidente que isto se refere às relações, mas também às amizades, aos companheiros e a toda classe de compromisso e obrigações. Isso também pode dar-se em nível interno, quando alguém confronta seus desejos mais íntimos e seus temores mais irracionais e, em vez de desfazer-se deles, incorpora-os a si mesmo e, deste modo, torna-se mais forte. Desprender-nos de nossa parte sombria não é o adequado, não obstante, ao aceitá-la, nós a colocamos sob nosso controle. Uma das duas indicações desta carta – a mais freqüente, nas leituras – refere-se à harmonia consigo mesmo.

A Temperança também representa uma apreciação da moderação através da experiência dos extremos; é como viver a noite mais escura e o dia mais brilhante, a fim de apreciar tanto o crepúsculo como o amanhecer. Apenas quando se vêem e se reconhecem ambos os lados – positivo e negativo – poderemos integrá-los em nossa personalidade. Outra indicação desta carta é que você não deve esforçar-se para que se transforme numa pessoa totalmente positiva, ainda que pareça um objetivo muito louvável. A vida busca sempre o equilíbrio e se a todo o momento você trata

Os Arcanos Maiores

de ser uma pessoa totalmente positiva, estará lutando contra a corrente. É melhor adotar a moderação e fluir com a própria vida.

As duas situações nas quais a temperança aparecerá com maior freqüência, estão no contexto das suas relações com outros e com você mesma. No primeiro caso, costuma implicar uma necessidade de equilíbrio. Um conflito apenas pode ser resolvido através do compromisso e da cooperação, e duas pessoas que reconhecem isto não podem estar em conflito durante muito tempo, porque sempre põem em equilíbrio as coisas antes que se tornem problemáticas. De igual maneira desfrutam dos bons tempos, mas sabem que não durarão para sempre e tampouco se desiludem nos dias obscuros. Se uma relação parece desequilibrada nalgum aspecto, a Temperança deve tornar-se como que um sinal de que deve começar a regularizar as coisas, antes que o desequilíbrio chegue muito longe e que se destruam irrevogavelmente. Antes de conseguir a harmonia nas suas relações com as pessoas que o rodeiam, deve fazer as pazes com você mesmo. Se não se lhes atende, os desequilíbrios internos costumam manifestar-se no mundo físico, sejam estes negativos ou não. Ter um estilo de vida otimista, até o ponto de acreditar-se invencível, conduzi-lo-á a problemas, talvez mais que uma vida de pessimismo e paranóias. Será mais fácil conseguir o equilíbrio se buscar a Voz Interna para que o guie. A Temperança é uma carta de saúde, e quando aparece, demonstra que seu poder interior está preparado para curá-lo e torná-lo mais forte.

Significado: Moderação, adaptação, cooperação, trabalho em harmonia com os demais. Boa administração. O que imaginamos ocorrerá. Conseguiram combinações de êxito. Paz interior.

Inverso: Conflito de interesses, combinações desafortunadas. Agressões, querelas, corrupção. Possibilidade de um desastre. Intranqüilidade. Desarmonia espiritual.

Os Arcanos Maiores

O Diabo: a aparência enganosa

O Diabo é outra das cartas do Tarô, cujo significado é geralmente mal entendido; talvez ocupe o segundo lugar nesta categoria, depois da Morte. Em nosso mundo moderno, não nos agrada pensar que em todos há uma semente de negatividade, pelo que assumimos que todo mal que sucede é obra de algum Demônio exterior, que deve ser evitado. Na realidade, porém, as pessoas não fazem coisas más porque uma força exterior controla suas ações. Fazem-nas porque se está expressando a parte negativa da sua própria personalidade. Negar esta parte é dar-lhe poder sobre nós e permitir-lhe que domine nossa vida, até que um dia nos destrua. No Tarô, a representação simbólica do Diabo é uma clara burla de dois arcanos anteriores, os Enamorados e o Papa. A primeira paródia é talvez a mais evidente. Em lugar do anjo que revoluteia sobre os Enamorados, aqui está entre eles o Diabo, maldizendo ao homem e a mulher, mais que os abençoando. Eles, que algumas vezes estiveram conectados um ao outro pelo amor, estão agora atados ao Diabo por suas cadeias de luxúria e ignorância. A mão do Diabo imita o gesto do papa, porém o perverte. O verdadeiro papa nos oferece sabedoria espiritual e nos chama com a mão aberta. O gesto do Diabo esconde suas verdadeiras intenções; na realidade, não compartilha sabedoria alguma. Deve ser ressaltado outra vez que o Diabo não é uma força que ataca do exterior, mas um câncer que devora alguém, por dentro. Quando o Diabo tem o poder, tudo vira de cabeça para baixo, daí o pentagrama invertido. Quando nos submetemos a nosso Diabo interno, submetemo-nos ao mesmo tempo a outras forças do mundo exterior que nos condenarão. Permitimos que outros nos comprometam e controlem nossa vida. Permitimos que corrompam nossos poderes criativos e os tornem contra nós mesmos. Todavia, em tudo isto ninguém é vítima de nada mais que de si mesmo. De fato, na realidade, não se é vítima e não estamos indefesos em absoluto.

A lição mais importante que nos ensina o Diabo é que podemos liberar-nos de qualquer restrição que nos detenha, no momento em que assim tenhamos decidido. As cadeias que atam as figuras humanas na carta do Diabo estão suficientemente soltas como para livrar-nos delas em qualquer momento. Entretanto permanece energia positiva dentro de você que pode usa-la para se libertar, porém, somente se for capaz de deixar de

Os Arcanos Maiores

lado o materialismo e tudo o que o Diabo representa. Enfim, a melhor maneira de libertar-se a si mesmo do cativeiro do Diabo é não se submeter a ele, apenas aceitá-lo como a sombra que se forma onde há luz. Ao aceitar a sombra, poderá ver a luz.

Quando, numa leitura, aparece a carta do Diabo, ela costuma mostrar que você não tem o controle da sua vida, algumas vezes como conseqüência das suas próprias ações, mas com maior freqüência, como resultado da sua inatividade. Às vezes, esta perda de controle leva à desesperança e à falta de fé em sua própria capacidade. Às vezes, as ferramentas do Diabo são a ignorância e o materialismo, e nos submetemos a elas quando nos centramos no poder mundano e nas posses, ignorando o poder espiritual que nós todos temos em nosso interior. Como resultado, nossa criatividade e nossa energia podem sofrer uma séria deterioração e talvez já não desejemos recuperar o controle de nós mesmos.

Um fator crucial quando aparece a carta do Diabo é a mente. Se pensar que a obscuridade ganhou, assim será. Se desejar que outros o explorem e o limitem, poderão fazê-lo, e o farão. Entretanto, ninguém mais tem poder sobre você, a menos que você se entregue. Se desejar libertar-se das cadeias da ignorância, pode fazê-lo e pode entrar na luz. Transmute toda essa energia negativa em positiva e veja tudo o que pode conseguir quando crê que pode. Lance um longo olhar a si mesmo e trate de ver o que não havia visto antes. E lembre-se sempre: não pode existir sombra sem luz, o único Diabo que existe é em quem você acredita.

Significado: Enfermidade. Encadeamento às vezes voluntário. Magia negra. Descontentamento. Depressão. Escravidão da matéria. Sensação de pecado e sentimento de culpa. Alheamento de compreensão.

Inverso: Início da compreensão espiritual. As cadeias que atam ao material estão começando a soltar-se. Timidez. Incapacidade para tomar decisões. Vencimento do orgulho e do egoísmo. Entendimento. Controle dos próprios medos.

Os Arcanos Maiores

A Torre: *a destruição do antigo*

Algumas vezes, quando se aceita e se acolhe, a sabedoria divina flui sobre nós com a liberdade de um tranqüilo rio. Noutras ocasiões, empenhamos em bloqueá-la, até que surge enfurecida com a força de uma tempestade, destruindo o que encontra no seu caminho, inclusive o próprio receptor desta sabedoria. Esta é a energia que nos mostra a carta da Torre, uma energia muito

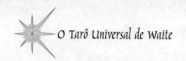

similar a da Morte, dado que ambas são forças destrutivas e criativas. Quando um edifício está velho e decrépito, deve ser demolido para que uma nova estrutura possa ocupar seu lugar. Eis o que sucede com a simbólica Torre. Quando as atitudes, as crenças antigas se tornarem obsoletas, teremos de nos desfazer delas, quer isso nos agrade, quer não. Na maioria dos casos ocorre isso, as pessoas não querem renunciar às suas idéias e se aferram a elas como a criança pequena ao seu apreciado cobertor de segurança. Na realidade, esta tentativa de manter a segurança não assegura nada, exceto uma acidentada mudança que nos arrancará dolorosamente aquilo que nós não descartamos por vontade própria. Entretanto, há aqui algo importante. O poder da alma e da mente é muito maior que a energia física e sempre poderá levar-nos a qualquer lugar. O cobertor deve ser retirado para que o menino possa encontrar poder e segurança no seu interior, em lugar de encontrá-lo em algum objeto material. Quando você crê que os objetos materiais são mais poderosos que o espírito e a mente, começa a construir uma torre de falsidade com uma base muito instável. Se, por algum milagre, não se desmorona por seu próprio peso, chegará o momento em que você mesmo a empurrará sobre si. A Torre cai, não porque o destino assim o diga, mas porque algo no seu interior já não pode resistir à tensão que deve suportar. Cedo ou tarde ruirá. Esta é uma experiência humilhante, porque sua lição é que ninguém é invencível. O problema para a maioria das pessoas é o fato de se concentrarem no negativo e ignorarem a grande oportunidade que se lhes é dada. O fogo da Torre queima tudo que é negativo e obsoleto, e deixa todo o positivo, todo o necessário para começar sua vida outra vez e recolocar tudo o que se perdeu. Na essência, esta é a energia da Morte e da Temperança combinadas, porque na Torre se desfaz e se constrói ao mesmo tempo. Tão rápido quanto as figuras humanas aterrizam nas pontiagudas rochas da realidade, receberão o influxo de sabedoria de que necessitam para sobreviver. E com

Os Arcanos Maiores

esta sabedoria à sua disposição, poderão dar o primeiro passo de regresso ao caminho verdadeiro do discernimento: construir uma Torre mental, mais que física, que os leve até o Céu. Quando você é forçado a aceitar a sabedoria, ou quando deve desfazer a ignorância, aparecerá a Torre para permitir-lhe que se prepare. Se preferir deixar que vá o que já não necessita e aceitar o que sim, as coisas caminharão mais suavemente e sem frustrações. Não obstante, se ignora a advertência da Torre e se aferra ao *status quo,* prepare-se para uma queda. Deixou-se ficar adormecido e este é o seu despertador espiritual. Quando aparecer a Torre, saiba que o que parece ser muito seguro, na realidade não o é. Uma mudança lhe está destinada, nem trate de lutar contra ela, já que todas as mudanças sucedem porque são necessárias. Num nível interior, a destruição da Torre é o colapso desta fortaleza chamada de ego. Quando você constrói um muro para esconder seus segredos ou para ocultar seu eu real, deve saber que, cedo ou tarde, esta parede virá abaixo. As fantasias são particularmente propensas a serem aniquiladas pelo poder desta carta; a Torre as dissipa como o calor do sol afasta a neblina. As fantasias ou as ilusões não o ajudarão em nada para o lugar a que se dirige, por isso, é melhor deixá-las agora. Não ponha sua fé em ilusões de segurança; a coroa desta carta deve estar sobre uma cabeça humana ou sobre uma torre de pedra fria.

Significado: Perigo, conflito, catástrofe. Destruição das estruturas obsoletas e das velhas idéias. Mudança brusca no modo de viver. A ambição egoísta está a ponto de criar um estalido. Quebra nos negócios.

Inverso: Acusações falsas. Opressão. Catástrofe menor.

Os Arcanos Maiores

A Estrela: a esperança

Quando toda esperança parece perdida, ela reaparecerá para provar que na realidade não perdemos nada, salvo, talvez, a visão do caminho até o discernimento. E na essência dessa visão, a Estrela iluminará nosso caminho. Sua luz não é um brilho deslumbrante como o relâmpago da Torre, senão um esplendor suave que aquece e conforta, mas sem queimar nem destruir,

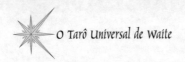

afinal, ambas as energias vêm do mesmo lugar dos planos superiores. Desde que o relâmpago da Torre destruiu o falso caminho que seguíamos, a luz da Estrela, mais suave e mais amável, nos guiará até o caminho correto. Em termos de simbolismo, esta carta é similar à Temperança: há uma figura junto ao lago, com duas vasilhas, mas, enquanto na Temperança, os conteúdos das mesmas se misturam ente si, aqui se misturam com as águas do eterno espírito divino. Quando não puder sair por si mesmo, a Estrela lhe diz que olhe para os céus em busca de guia, que olhe a faísca de divindade que há no seu interior que antes não havia podido ver nem reconhecer. Cada um de nós tem dentro de si um pequeno pedaço da Estrela, que espera verter sua luz sobre o mundo para iluminar o caminho. Este é o significado das palavras de Crowley: "Todo homem e toda mulher são uma estrela". Talvez o símbolo mais interessante na Estrela do Tarô Universal de Waite, seja o lago. Em alguns baralhos, a mulher nua está em pé, dentro da água, mas neste, como São Cristóvão, gigante de origem alquímica que, todavia, pode ser visto em muitas catedrais góticas, a mulher da Estrela tem um pé na água e outro em terra firme. São Cristóvão traz às costas o Menino Deus, a estrela indica o lugar do seu nascimento. Curiosamente, o pé direito da figura descansa sobre a superfície da água, mas não a rompe. Uma vez que a fé toma seu poder, as águas do inconsciente são capazes de apoiar a mente consciente. A milagrosa capacidade de caminhar sobre a água simboliza a capacidade de confiar noutro poder, seja nos céus ou em si mesmo. Quando se consegue ter confiança, qualquer coisa é possível. Há poucas cartas mais positivas do que a Estrela, porque, quando aparece em nossa vida, representa nada menos que um farol de esperança e inspiração. Nos momentos de obscuridade, mostra-nos que há um caminho para sair dela e nos diz que não devemos nos preocupar, já que a luz e a liberdade estão próximas. Tudo de que necessitamos é algo onde depositar nossa fé. Confie em você mesmo e nos

Os Arcanos Maiores

poderes que você crê que controlam o universo para que o ajudem a superar os momentos difíceis. Deixe que a energia infinita da Estrela o aqueça e rejuvenesça sua alma, proporcionando-lhe a força e a claridade de objetivos necessários para continuar seu caminho.

No entanto, é importante ter consciência que a Estrela nunca é uma carta que mostra a solução final a qualquer problema. Apenas ensina a esperança e a fé para que se chegue onde quer que vá; sem esperança não podemos começar nada, ela é o começo. Agora que já está inspirado, ainda lhe resta muito trabalho a fazer para que sua visão se manifeste. Deve combinar a solidez da sua existência material com as águas das suas emoções e a luz do seu espírito. Este é um momento em que podem ocorrer os milagres; tire os sapatos e ponha-se na lagoa, confiante em que a água o sustentará até chegar ao outro lado.

Significado: Inspiração, visão, esperança. Idealismo. Ajuda desinteressada. Dons espirituais. Grande amor, dado ou recebido.

Inverso: Pessimismo, dúvidas, impedimento. Ódios, irritabilidade. Falta de percepção. Possibilidade de doença mental ou física. Pode representar uma pessoa caprichosa e egoísta.

Os Arcanos Maiores

A Lua: a intuição

Muitas vezes se diz que as coisas não são como aparentam ser, e isto, sob a influência da Lua, é particularmente certo. As coisas que durante o dia são benéficas, à luz da lua podem, de repente, parecer perigosas e malignas. A própria expressão "luz da lua" é enganosa, pois a lua não emite luz própria, apenas reflete a do sol. Alguns afirmam que na superfície das crateras

lunares vêem o rosto de um homem, ainda que isto seja, talvez, uma ilusão a mais. Esta carta é um dos poucos Arcanos Maiores com um simbolismo animal importante e, na maioria dos baralhos, sem figuras humanas. A carta do *Tarô Universal de Waite* mostra um lobo e um cachorro, dois membros do mesmo gênero, ainda que o primeiro seja selvagem e o segundo, domesticado. Não obstante, ambos se mostram uivando para a lua e, se estivesse presente um ser humano, é provável que também se visse afetado. Independentemente do lugar que alguém ocupe na hierarquia da evolução, ainda assim é suscetível das ilusões e das decepções. A lua a todos ilumina com a mesma luz. O que você vê quando esta luz chega aos seus olhos dependerá de quem você for, não do objeto visto.

Em antigas religiões, a deidade da lua, geralmente, era uma deusa associada à fertilidade feminina, por causa da visível correlação existente entre o ciclo da lua e o ciclo menstrual feminino. Embora esta relação continue sendo válida, a Lua do Tarô trata mais da fertilidade da imaginação que da fertilidade do corpo. O crustáceo que costuma mostrar-se nas cartas da Lua é um signo do inconsciente e da sua influência sobre a mente consciente. A mente que se deixa levar excessivamente pelo inconsciente pode confrontar-se com muitas ilusões e decepções. Chegará um momento em que não poderá dizer o que é real e o que é apenas uma manifestação dos seus próprios medos e dos seus desejos.

A difícil prova da Lua é o último desafio que propõem os Arcanos Maiores. Por ele, devemos viajar na escuridão, sem saber com segurança, se o caminho que escolhemos é o correto. Aqui não há luz solar que nos guie, sinais sobre as colinas que dirijam nossos passos, nem ninguém com quem viajar. Esta é uma viagem que deve ser feita sem companhia, na escuridão, sem mapa nem bússola. Deverá aprender a confiar em sua luz interior para que o guie ao largo do caminho verdadeiro. Qualquer vacilação ou qualquer dúvida e a luz se extinguirá

Os Arcanos Maiores

para sempre. Entretanto, se você crê, sua luz resplandecerá tão brilhante como o sol que inevitavelmente se elevará, quando a noite tiver acabado.

A aparição da Lua numa leitura quase sempre significa que algo não é como parece e que será necessário vigiar e afinar a percepção para encontrar o que está oculto, antes que seja demasiado tarde. Numa boa leitura, a Lua mostra que nem tudo é tão maravilhoso como você poderia pensar. Talvez a pessoa idealize a situação e ignore o fato de que, junto ao êxito, existe a possibilidade do fracasso. Uma leitura negativa que inclua a Lua costuma mostra que você deve permitir que sua imaginação voe distante de você e que as coisas não são tão más como parecem. Em ambos os casos, devem abrir os olhos e ver o que na realidade acontece.

Esta carta também pode mostrar momentos em que você não está seguro do seu destino, ainda que prossiga viajando. É muito possível que esteja perdido e que tropece na escuridão. Se esperar que saia novamente o sol, o caminho talvez tenha mudado e pode ter perdido a oportunidade. Então, o que deve fazer? A Lua é uma carta de intuição e de forças psíquicas, assim que abandonar seus bloqueios mentais conscientes, permita que a sua intuição o guie: ela não apenas lhe revelará o caminho a seguir, como também, em muitos casos, revelará que aprenderá lições sobre você mesmo, que lhe serão muito valiosas em futuras viagens.

Significado: Inspiração, imaginação, intuição. Desenvolvimento das faculdades psíquicas latentes. Viagem astral. Perigo não previsto, algum inimigo oculto. Má sorte para algum ser querido.

Inverso: As considerações práticas controlam a imaginação. Não é tempo de aventurar-se. Ceticismo. Rejeição a todo o intuitivo. Atitude estritamente "científica".

Os Arcanos Maiores

O Sol: *a culminação*

O Sol simboliza muito, conforme a pessoa que o vê. Os antepassados viam o Sol como o doador de vida e de luz, e quase todas as religiões politeístas têm um deus Sol. Traz luz e claridade após um período de escuridão e confusão e, neste sentido, o deus Sol às vezes também é um redentor, alguém que traz paz e bons momentos depois de provas severas. Por último, o Sol é

um símbolo de constância e de confiança, sem importar quão triste pareça a situação, nem quanto problema tenha, o Sol brilhará de manhã. Todos estes atributos e mais, intermediário entre o representado, refletem-se nesta carta que traz o mesmo nome da nossa estrela. A luz do Sol é como um ponto na Torre e na Estrela. Não é um relâmpago que cega, nem um resplendor sutil. É suficiente para aquecer, mas em geral não queima. Esta moderação entre os extremos é o objetivo do viajante espiritual; primeiro viu-se na Temperança, agora, manifesta-se totalmente para que o vejamos. Neste estado superior, nada está mais além do nosso controle. No *Tarô Universal de Waite*, isto se ilustra com um símbolo poderoso. Os girassóis que há no jardim não estão olhando para o sol, como costumam fazer, mas para a criança que está sobre o cavalo. Ele é que tem o poder no mundo material.

Já passou a difícil prova da Lua e você surgiu até a luz, mais forte, mais sábio. Terminou a guerra e deu o passo para a paz; o amor substituiu o ódio, o medo tornou-se valor. Na realidade é tempo de celebrar! O trunfo sobre o Diabo não é algo que ocorra todos os dias neste mundo e, quando acontece, alguém deve estar contente por ter entrado um pouco mais de luz na sua vida. Esta saída do Sol é similar ao término das tarefas e aos esforços da noite, e o calor que nos proporciona é uma recompensa por não nos amedrontarmos na escuridão, por não haver fugido quando tivemos a oportunidade de fazê-lo e por não tratar de esconder-nos da sabedoria que legalmente nos pertence.

Como signo da confiança não há nada mais poderoso do que o Sol, já que nenhuma força na Terra pode evitar que o ele saia pela manhã. Num mundo de caos, todavia, há um ponto de silêncio e de calma que nos assegura a existência de uma ordem subjacente, algum poder superior que nos abençoa e nos sorri todos os dias. Ainda que as nuvens encham o céu, o sol continua aí, à espera de uma oportunidade para romper a barreira

Os Arcanos Maiores

da obscuridade e fazer brilhar sua luz para nós. Saiba que em qualquer desfio há uma oportunidade e atrás de qualquer nuvem há um sol que espera a ocasião para revelar-se diante de nós.

Numa leitura, o Sol pode ter muitos significados, ainda que o principal é o de êxito e de término. Pode ser um arauto de alegria, de felicidade, pode ser o nascimento de uma criança, uma família estável, prosperidade material ou quase qualquer final positivo, mas, sobretudo, mostra culminação. Acabou-se um ciclo e, antes que comece o seguinte, há um período de luz e de relaxamento do qual pode e deve desfrutar. O êxito chegará se você tiver confiança e tiver bem definido o uso da sua energia criativa. Brilhe com a vitalidade do Sol, cuja luz é única e cujo poder é absoluto.

Este poder e claridade do Sol estão ao alcance de qualquer um, também de você, se permite que a luz do Sol o ilumine. Se há áreas escuras, ocultas no seu interior, os raios do Sol irão expô-las para que possa integrá-las a si mesmo. A neblina da confusão queima-se com a espada ardente do Sol e suas chamas afastam o medo e todos os terrores noturnos. Uma situação que parece desesperada deixará de sê-la, uma vez que o Sol brilhe sobre o caminho correto, sobre a solução adequada. Quando o Sol aparecer, permita que o seu poder o surpreenda e o preencha. Não apenas deverá olhá-lo, alcance-o, introduza este poder em você mesmo. Na realidade, o poder do Sol, é o seu verdadeiro poder.

Significado: Paz, amor e felicidade. Uma vida bem vivida. Um trabalho bem feito. Despertar. Renovação. Assuntos legais favoráveis à pessoa. Alegria, prosperidade. Cumulação no plano espiritual.

Inverso: Vazio, infelicidade, falta de propósito. Confusão. Densas nuvens congestionam o horizonte. Luta e perda, intranqüilidade. Rompimento amoroso.

Os Arcanos Maiores

O Julgamento: o renascimento

A carta que originalmente se conhecia como o Dia do Julgamento é derivada das escrituras cristãs, porém, na maioria das religiões e culturas, existe o conceito do renascimento espiritual quando acabar esta forma de vida. Esta é outra carta de transição, como a Morte e a Torre, porém, sua energia não é nem violenta, nem catastrófica, apesar de seu poder ser muito maior. Esta é uma energia de criação sem destruição, impossível no plano material, mas possível, sem dúvida, no mundo espiritual. O renascimento não se dá através do abandono do negativo, senão mediante a integração de todas as partes da pessoa. O espírito limpa-se e restaura-se sem perdas ou incorporações. Permanece o mesmo, mas diferente. Segundo a tradição, o Dia do Julgamento é o dia do acerto de contas, quando alguém deve responder por suas ações e suas omissões. Não se pode esquecer o vínculo desta carta com a justiça, e, de certo modo, a justiça é uma elaboração de causa e efeito, e da noção da justiça cósmica. À luz da justiça, os efeitos das nossas ações e omissões não exigem que se pague uma tarefa, nem dão uma recompensa no plano físico, mas no nível espiritual. Onde você esteve, determinará para onde irá, e o que fez terá uma função no que ainda deve fazer. Na realidade, o ciclo não pode terminar, porque o espírito nunca morre; jaz numa existência eterna, que, a partir desta vida, nunca poderemos compreender por completo.

Semelhante ao que o Dia do Julgamento representa, a união do mundo material com o espiritual, numa unidade de manifestação única, também pode mostrar a união e a reconciliação das diferentes partes de você mesmo. As três figuras humanas que se encontram na maioria das versões desta carta fazem alusão a isto. O varão representa a renovação da mente consciente, a mulher é o renascimento do subconsciente e o pequeno é a criança Sol, a criança eterna que está dentro de todos nós. Unidos a uma só voz, eles louvam o anjo que aparece no céu. Após a limpeza não destrutiva e a restauração do Julgamento, a matéria, a mente e o espírito são um agora e sempre.

O simbolismo do *Tarô Universal de Waite* é especialmente interessante. Ao fundo, estão as montanhas que apareceram primeiro com o Louco. O mar é o término do rio que flui através dos Arcanos Maiores, começando com a Imperatriz. O estandarte do Arcanjo Gabriel é vermelho e branco, assim como o

Os Arcanos Maiores

manto do Mago. Como tudo na vida, o início forja de maneira irrevogável o final, e este levará a um novo princípio. No fundo, o Julgamento não é uma carta de finais, mas de inícios. Esta viagem acabou-se, mas a seguinte, num nível de existência mais elevado, aproxima-se. O Julgamento é preparação desta viagem; a última parada antes da eternidade.

Às vezes, a aparição do Julgamento numa leitura assinala que no seu caminho se encontra uma grande mudança, mas, diferentemente da Morte e da Torre, a mudança não é destrutiva. Ela está sob seu controle e, de fato, até pode dar-lhe as costas se você assim o deseja. No entanto, ao seu devido tempo, é provável que se arrependa; isto é outra lição do Julgamento. As decisões, como as que oferecem o Julgamento, são necessárias para o crescimento e o desenvolvimento espiritual, e não se pode escapar delas sempre. O dia de acertar contas virá em algum momento, e terá de admitir seus erros e receber as recompensas que merece.

O Julgamento é também uma carta de limpeza, representa aquele momento em que se limpa a casa e pode começar outra vez com todas suas dívidas pagas e sem nada com o que se preocupar. Isto pode parecer demasiado bom, para ser certo e para muitas pessoas, assim é, porque arruinam sua nova oportunidade pensando nos erros que cometeram no passado. O Julgamento ensina-nos que devemos ser conscientes do passado e das lições que aprendemos, sem degradar-nos por tais erros, pois apenas são partes do aprendizado. Deixe o passado para trás e olhe para o futuro, preparado para começar de novo. Agora é o momento de dar um passo definitivo, não permita que as sombras do passado o detenham.

Significado: Coisas maravilhosas vão ocorrer. Poderá vislumbrar o que lhe prepara o futuro. Transformação. Verá tudo sob uma nova luz. Rompimento com o convencional.

O Tarô Universal de Waite

Inverso: Sentimentos de inquietude. Saudades. Desejos de liberar-se de certas situações, mas sem ver uma saída. A pessoa está atolada nas situações que ela mesma criou.

Os Arcanos Maiores

O Mundo: a realização

Depois de ter enfrentado e superado todos os obstáculos, após percorrer e planejar todos os caminhos, fica apenas o último passo até o seguinte nível da existência: o Mundo, a porta final. Depois de ter-se entregado, no Julgamento, a união do consciente com o inconsciente, da mente com o corpo, tudo o que pode permanecer é a união com a Divindade, qualquer que seja

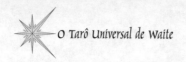

a forma que tome para a pessoa. A viagem terminou e a seguinte apenas começa. Por fim, encerrou-se o ciclo com a reivindicação do viajante, e a imortalidade ganha através do desenvolvimento de si mesmo.

Esta carta, como é próprio da sua natureza, tem o mesmo simbolismo básico em quase todas as suas inumeráveis versões. Nas suas quatro esquinas estão quatro querubins, ou seres alados, que personificam seus domínios: o touro para a matéria, o leão para a energia, a águia para o tempo e o homem para o espaço. Juntos, representam a criação unificada e o controle sobre todas as coisas do Mundo. Outro motivo comum é o ser dançante no centro, em algumas versões é uma bailarina, noutras um ser hermafrodita, mas sempre com suas duas varetas. A vareta é a mesma do Mago, mas multiplicada. A necessidade de fortalecer seu poder mágico já se desvaneceu, porque chegou a ser alguém com sua própria fonte de poder. O positivo e o negativo são as partes de um mesmo todo. Um é muito. Muitos são um. Pode pensar-se no Mundo como um tempo para o repouso, como o momento entre a morte e a vida, quando a alma espera a reencarnação no mundo material e chega a ser um com o universo de onde veio. Foram postas em prática todas as lições aprendidas. Todas as tarefas terminadas deram fruto e trouxeram prosperidade. Toda causa teve seus efeitos e todas as diversas conexões dos efeitos teceram o tapete da sua vida, como você a viveu. Agora é o momento de desfrutar desta sabedoria, saborear essa prosperidade e admirar a obra de arte pessoal que você criou. Dentro de pouco, começará tudo outra vez.

Talvez a viagem se detenha por algum momento, mas a viagem da alma nunca termina. Em todo fim se encontra um novo começo, as peças estão no seu lugar para que inicie uma nova viagem, e, quando estiver concluída, seguramente começará outra. Depois de uma breve visão da Divindade, você voltará à manifestação, seguro das suas convicções e da sua habilidade para algum dia ver outra vez o rosto de Deus. O ciclo

Os Arcanos Maiores

é infinito, semelhante à coroa que rodeia a figura, atada com os cintos da força divina e fazendo espirais ao redor do universo, até o fim do tempo.

A carta do Mundo marca um momento da sua vida em que acabou um ciclo e o seguinte apenas começa. Representa o ganho final de todas as suas expectativas e seus desejos, e a iminente proximidade de novos desejos a seguir e de novas metas a alcançar. Esta carta é a confirmação do êxito e a recompensa de todos os seus esforços. Com a chegada do Mundo, vem o êxito assegurado e o bem-estar material, assim como a realização emocional e o desenvolvimento no aspecto espiritual.

No mundo material, a energia desta carta às vezes se manifesta como uma promoção ou uma ascensão a uma postura mais elevada ou ao início de um outro nível de conhecimento, com o que antes apenas sonhara. Entretanto, este tipo de regozijo e felicidade, este ápice do êxtase unicamente nos dará uma visão da seguinte montanha que já se desenha no horizonte. Pelo que, uma vez mais, deverá ascender e esforçar-se, deverá preparar-se para iniciar uma nova viagem do Louco e para descobrir os segredos que jazem neste novo nível de existência. O ciclo dos Arcanos Maiores inicia-se onde termina e termina onde começa; o início e o fim não são o final de uma linha reta, mas pontos coincidentes na circunferência de um ciclo que encerra a vida de uma pessoa. O presente é agora. O futuro é agora. A eternidade é agora.

Significado: Liberdade para ir a qualquer direção que desejar. Conclusão e um trabalho bem feito. Trunfo em qualquer coisa que se empreenda.

Inverso: Atitude negativa para explorar novos horizontes. Medo que cria estagnação.

4
Os Arcanos Menores

Enquanto os Arcanos Maiores expressam temas universais, os Arcanos Menores nos trazem estes mesmos temas ao terreno do cotidiano e da prática. As cartas dos Arcanos Menores nos assinalam preocupações, oportunidades, emoções e trabalhos da nossa vida diária. Os Arcanos Menores estão divididos em quatro espécies ou "naipes": Copas, Ouros, Espadas e Paus.

Os Arcanos Menores

As Copas

As Copas representam o elemento Água: a emoção, as relações, a intuição, o prazer e o amor. Geram energia através da realização emocional e espiritual, sem nada a ver com as ganâncias materiais. O elemento Água costuma implicar paz e equilíbrio, que fluem dos planos superiores aos inferiores. Também pode, porém, ser bruto: pode ser uma poça pouco profunda ou um oceano sem fundo, dependendo do seu ambiente. A grande variedade das emoções humanas fará que mude o significado das Copas, dependendo das circunstâncias, ainda que sempre esteja ligado às emoções.

O Ás de Copas

Dizem que tudo começa com o amor e, pelo menos nas copas, ele é certo. O Ás de Copas é o fluxo inicial de emoção que poderia tornar-se um grande rio, se lhe for prestado tempo e atenção. É a semente plantada, mas ainda dormente, de um grande amor e de um afeto futuro; é a primeira excitação que pode evoluir em paixão, felicidade e amor. Geralmente, o Ás de Copas predirá o início de uma relação cheia de potencial e que pode conduzir ao verdadeiro amor e felicidade. Entretanto, sempre devemos recordar que o Ás mostra apenas o potencial, não o resultado final de uma situação. Se uma relação começa bem, cabe a elas, as duas pessoas implicadas, mantê-la assim e melhorá-la, se for

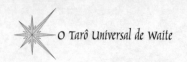
O Tarô Universal de Waite

possível. O Ás de Copas não é garantia de ser feliz, mas indica a oportunidade de que a pessoa possa consegui-lo, se assim o deseja. Em situações que não envolvem relações, o Ás de Copas costuma mostrar o poder do amor que é necessário na mencionada situação. Neste sentido, porém, o amor nem sempre se refere ao romance. O amor é uma planta com muitas flores: generosidade, perdão, paz, honestidade, ou simplesmente pode mostrar os próprios sentimentos. Pergunte à sua Voz Interior que classe de amor necessitará você e seguramente obterá uma resposta, porque o Ás de Copas é também a carta da intuição que desperta. Quando aparece o Ás de Copas, todas as coisas relacionadas com o amor e a intuição se intensificam.

Na realidade, esta é uma carta muito espiritualizada, não apenas pelos vínculos com a intuição e sua semelhança com o Santo Graal, mas porque mostra o primeiro passo para o caminho do esclarecimento e do entendimento. Este é um período em que a Voz Interior se manifesta de maneira ativa na sua vida, e seus sonhos e seus desejos escondidos têm uma oportunidade de se realizarem. Como no tema da relação, agora é o momento de perseguir estas ambições, se assim o decidir. Nos melhores casos, o Ás de Copas representará um despertar espiritual poderoso, que deve ser aceito e aproveitado. Permita que a luz do universo o ilumine e deixe que o poder do amor flua do seu coração.

Significado: Início de boas coisas: amor, alegria ou saúde.
Inverso: Estar excessivamente centrado em si mesmo

Os Arcanos Menores

O Dois de Copas

Por sua imagem, o Dois de Copas quase sempre sugere uma relação entre duas pessoas. Na realidade, este é o significado principal da carta e o que aparece com maior freqüência nas leituras. Contudo, antes que possamos amar outra pessoa, devemos aprender a amar-nos a nós mesmos, a amar e aceitar todas as nossas diferentes (e às vezes conflitantes) facetas da pedra preciosa que forma nossa vida. Como a carta da Temperança, esta é uma carta da união harmoniosa, não apenas de duas pessoas, mas de duas partes da mesma pessoa. Dito isto, é evidente que, na maioria das ocasiões, o Dois de Copas nos falará sobre relações externas. Com freqüência, esta carta é vista como a carta do companheiro espiritual, essa pessoa com quem compartilhamos uma conexão especial e a quem podemos amar

sem condições. A sinergia de uma pessoa, com seu companheiro espiritual e, como o encontro de duas estrelas que, ainda que brilhem separadamente, fazem-no ainda mais quando estão juntas. À distância, pode parecer que eles são uma única entidade. Esta combinação harmoniosa, quer seja entre duas pessoas, grupos ou idéias, é um dos elementos principais do Dois de Copas. Não obstante, deve-se dizer que esta carta tem seus inconvenientes. A energia do Dois de Copas está um pouco mais diluída que a da carta dos Enamorados, e não apenas porque o poder dos Arcanos Menores é diferente. Enquanto que os Enamorados são a reunião de dois seres completos, o Dois de Copas é uma união mais imatura que, apesar de parecer estável, tem a possibilidade de cair em pedaços. Esta é uma união ideal, mas como você sabe, em nosso mundo existem poucos casos ideais! Não sabemos se a relação mostrada pelo Dois de Copas poderá suportar a prova do tempo. Somente as duas pessoas implicadas poderão dizê-lo. Um fator que decide a firmeza de uma relação, é a estabilidade das pessoas envolvidas. Antes, porém, do amor aos outros, está o amor a si mesmo, e, mesmo que esta carta não apareça para assinalar uma relação, veja-a como signo de que tem algum trabalho a fazer dentro de você mesmo. Se não pode ver a luz no seu interior, não poderá mostrá-la a outros. Ao libertar-nos das dúvidas e das incertezas internas, nos tornaremos capazes de amar a outros sem vacilação nem arrependimento. Quando alguém deixa de dizer-se a si mesmo o que poderia ser, começará a desfrutar o que já é, e permitirá que outros também o gozem.

Significado: Entendimento, amizade profunda ou amor entre homem e mulher. Juntos, poderão atingir seus planos.

Inverso: Desacordos de pouca importância geraram obstáculos. Podem ser resolvidos, mas alguém deve dar o primeiro passo.

Os Arcanos Menores

O Três de Copas

O Três de Copas costuma simbolizar todo tipo de pessoas ou grupos que trabalham com alguém. As figuras representadas no Três de Copas quase sempre estão alegres, celebram juntas algum trunfo e, desta maneira, a carta nos mostra que os momentos alegres que passamos em companhia dos nossos amigos e do ser amado serão ainda mais felizes, enquanto que os momentos tristes serão mais curtos. Este é um dos muitos poderes que tem o grupo e a comunidade como um todo.

Nesta carta, a influência da comunidade é muito poderosa; e, ainda que cada membro desta comunidade seja diferente, podem e trabalharam freqüentemente em harmonia. É muitas

vezes um signo do verdadeiro poder do grupo: reunir pessoas de todas as idades e formas de vida para lograr um objetivo em comum. É um signo com o qual deveria buscar outras pessoas para que celebrem com você o seu êxito. Deverá, porém, ter algo presente: nestes grupos, é essencial que todos tenham bases comuns, mas também é importante que nem todas as pessoas sejam iguais. As semelhanças unem as pessoas, mas suas diferenças fazem-na fortes. O Três de Copas pode indicar qualquer ocasião em que certas pessoas celebram algo juntas: bodas, aniversários, festas etc. Pelo momento, ainda que os problemas da vida continuem, podem dar-se um tempo para que se esqueçam dos pleitos do cotidiano e desfrutem da companhia dos seus amigos e do ser amado. Às vezes, estes descansos são necessários, antes e após os períodos de muito estresse, para evitar que você se desgaste emocional ou fisicamente. Quando aparecer esta carta e você estiver sob muito estresse, tome algum tempo para recuperar-se e obtenha o apoio dos seus amigos, antes de regressar à batalha. Os sentimentos expressos nesta carta são profundos e pouco usuais. É um tipo de amor que as pessoas buscam durante toda sua vida e nunca encontram, enquanto que outros não fazem nada e, mesmo assim, parece que ele flui direto até eles. Se você pertence a este último grupo, dele desfrute tudo o que puder! Se estiver na primeira categoria, talvez tenha buscado demasiado o que já tem. Todos têm uma vida abundante à sua própria maneira e a aparição do Três de Copas é um sinal para que conte suas bênçãos e esteja agradecido por todas e cada uma delas.

Significado: Final feliz. Êxito. Começo de um novo estilo de vida.
Inverso: As circunstâncias mudaram. O que era bom, agora causa dor. Não se desgaste com isso. Concentre suas energias noutra direção.

Os Arcanos Menores

O Quatro de Copas

O prazer excessivo costuma conduzir ao cansaço deste prazer e ao desejo de coisas ainda maiores que, talvez, sejam impossíveis. Esta é a lição do Quatro de Copas, uma carta que exige moderação nas relações e em tudo o que tenha a ver com o coração. Esta é uma carta boa e inocente na aparência, mas com um aguilhão desagradável *escondido*. Com freqüência, assinala uma pessoa rodeada de amor e devoção, feliz por completo com ela mesma e com a vida que tem levado. Porém, o perigoso nesta situação é pensar que o amor é um fato, correndo o risco de começar a perdê-lo. Esta afirmação tem mais sentido do que você possa imaginar. Se alguém é amado, com afeto,

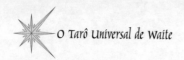

sem condições, durante um período de tempo prolongado, logo começará a esquecer o que se sente ao não ser amado e estar só. E quando você se esquece da escuridão de maneira intencional, esta faz um esforço especial para tornar a mostrar-se. Depois de tudo, não se pode apreciar a luz se não temos nada com que compará-la. A parte alarmante é que você mesmo poderá trazer a escuridão ao dar como fato o amor e o afeto que recebe. Logo, tudo aquilo por que se preocupou e todos os que se preocuparam por você fogem. Quando aparece o Quatro de Copas, dever ser tomado como uma advertência. Traz a mensagem de que há muito amor na sua vida, mas pode fugir, se você não for cuidadoso. Se, pelo contrário, ao ver esta carta, pensa que não há suficiente amor na sua vida, é sinal para que pense a respeito disto. Observe sua vida e veja como há muito amor nela. Na maior parte do tempo, não nos damos conta da abundância em que vivemos todos os dias. Estamos demasiadamente interessados no que queremos e não percebemos muito do que já temos. Isto não significa que não devamos lutar para ter mais na vida. Quando alguém já não tem ambições, sua existência começa a estancar e perderá interesse nas coisas que alguma vez lhe deram grandes prazeres. Não ter ambições é pior do que tê-las excessivamente elevada, mas não muito pior. Veja o que já tem e dê graças por isso todos os dias.

Significado: Descontentamento, abundância. Necessidade de reavaliar ou de reconsiderar nossa vida ou nossa situação.
Inverso: Possibilidade de novas relações. Deixe de preocupar-se.

Os Arcanos Menores

O Cinco de Copas

Para a maioria das pessoas, desagrada-lhes que lhes apareça o Cinco de Copas numa leitura, e com razão. O significado desta carta é muito simples: tristeza, luto, decepção e arrependimento. Com freqüência, estes sentimentos surgem por ações como as representadas pelo Quatro de Copas: dar o amor naturalmente e não valorizar as pessoas e as coisas que temos em nossas vidas. O Quatro prediz que se perderia tudo se não se fizer nada para desviar o curso dos acontecimentos; se não se presta atenção a esta advertência, o resultado inevitável será o Cinco de Copas. O Cinco de Copas não costuma ser um sinal de penúrias existentes, mas uma advertência para que se mude a tempo

o seu curso. Às vezes, poderá ser demasiado tarde para você; a decorrência preocupante ocorrerá, apesar dos seus maiores esforços. Pode ser o término de uma relação, um divórcio ou a perda de um amigo. Independentemente de qual seja o fato e das razões pelas quais suceda, o efeito será o mesmo. A dor enche sua mente, enquanto a trágica cena representada pela carta se mantém na sua memória e você não pode esquecê-la. Para alguns, parece-lhes que não há meios de sair desta situação, mas o Tarô sempre mostra uma solução para nossos problemas. A chave está em perseverar até superar a tristeza. Isto está representado pelas copas derramadas: uma ou duas ainda permanecem de pé, fora da visão da figura pesarosa da carta, mas você pode vê-las. Na verdade, muito se perdeu, mas ainda existe um raio de esperança, porque algumas das copas estão cheias e em pé. Não deve compadecer o homem desta carta, nem a si mesmo quando se encontrar nesta situação. Tem que deixar de chorar e abrir os olhos. Terá de trabalhar com ele, mas deve fazê-lo. Também deverá recordar que a mudança nunca ocorre sozinha. Sempre há uma razão, um desequilíbrio que deve ser eliminado, ou um erro que deve ser corrigido. Nestes casos, inclusive uma mudança desastrosa pode ser benéfica. Uma relação sem amor se destruirá de qualquer maneira, o que talvez seja melhor que ocorra o quanto antes. O Cinco de Copas lhe diz que deve estar agradecido pelo que ficou, não se preocupe pelo que não deve ser mudado e, sobretudo, não permita que as lágrimas o impeçam de ver o que ainda tem.

Significado: Final de uma relação ou amizade. Dor.
Inverso: As coisas vão melhorar.

O Seis de Copas

Esta carta é a única de todo o Tarô que se refere de maneira explícita ao passado, às recordações e aos bons tempos. Depois de perdas como as do Cinco de Copas, às vezes temos que dedicar algum tempo para cuidar, olhar para o passado e todo o bem que há nele. E nestes momentos, nunca é conveniente enfocar-se no negativo, por isto esta carta é tão positiva e está cheia de muita luz. As copas caídas estão agora cheias e outra vez em pé, porém com flores que não se podem derrubar. Uma vez que olhou para trás, talvez veja claro o caminho para ir adiante. O Seis de Copas quase sempre irradia uma aura de felicidade, porque representa o passado com todas as sua recordações, o

presente com todos os seus dons e o futuro com todas as sua maravilhosas oportunidades. Tem vínculos com todo tipo de prazeres, em particular com o prazer sexual, mas também pode referir-se aos prazeres cotidianos menores. Os gestos simples de afeto, como o presente de uma taça, representado no *Tarô Universal de Rider* são, todavia, significativos, apesar da nossa vida agitada e frenética. Assim, o Seis de Copas pode assinalar presente dado ou recebido ou algum outro gesto semelhante. Considerando que o Seis de Copas tem vínculos com o sexo, está também relacionado com a fertilidade, com o nascimento e a infância. As crianças são bons modelos a seguir no que se refere à energia desta carta. Eles vêem o mundo como um lugar com total perfeição e seus corações estão abertos por completo para experimentar os prazeres infinitos do mundo que os rodeia. Quando o Seis de Copas nos sugere seguir um caminho, ele nos diz que devemos abrir o coração a todas as possibilidades da vida. Viva em tranqüila harmonia com os que o rodeiam. Viva em paz e alegria constantes. Viva o momento presente, lembre o passado e sonhe com o futuro.

Significado: Felicidade que nos vem do passado. Possível encontro com um amigo ou amiga. Receber um presente.
Inverso: Um prêmio que cremos merecer se atrasa ou é entregue a outra pessoa.

Os Arcanos Menores

O Sete de Copas

Com freqüência, o Sete de Copas aparece quando deve ser feita uma escolha difícil, e assim o reflete a imagem da carta. As sete copas estão repletas de presentes estranhos e maravilhosos, mas sempre existe o perigo escondido dentro de uma ou duas delas. Entre as pedras preciosas e a coroa da vitória jazem uma serpente e um dragão. Às vezes, você deverá escolher entre muitas opções, todas elas podem ser tentadoras, mas apenas uma é a melhor. Em geral, esta carta mostra escolhas e planos que têm pouca ou nenhuma base na realidade. É típico do desenvolvimento da imaginação e está bem se se conservar na imaginação. Quando, porém, você trata de levar a cabo estas idéias

no mundo real, abre-se a decepções inevitáveis, dando-se conta de que sua visão simplesmente não funciona. A fortaleza não tem cimentos e cairá ao primeiro ataque do inimigo. Na realidade, é impossível qualquer ganho, mas como a espada de Dâmocles, a inevitabilidade da derrota está sobre sua cabeça, esperando cair e destroçar todos os castelos que construiu no ar. Outro tema desta carta é a tentação e, com tantas escolhas, será fácil inclinar-se para a serpente dos ciúmes e dos artifícios. Dado que esta carta pertence às Copas, temos nela todas as conotações sexuais e de tentação, a aventura de uma só noite, um romance fora do matrimônio e todas aquelas coisas que parecem inocentes e prazerosas no momento em que se empreendem. Na grande maioria dos casos, porém, as conseqüências que podem durar para toda a vida superam, e muito, o prazer temporal obtido. Em resumo, o Sete de Copas é um sinal para ficar atento. Esteja em guarda contra a tentação e antes de aceitar qualquer oferta, seja muito consciente de todas suas possíveis ramificações. Não permita que seus sonhos sejam fantásticos em demasia. Quando se confrontar com muitas opções que lhe pareçam atraentes de modo igual, recorra a sua intuição. Se ainda assim não sabe qual escolher, talvez o mais seguro seja não aceitar nenhuma! É melhor deixar as pedras preciosas que pôr a mão dentro de uma taça cheia de serpentes. Se tiver dúvidas a respeito da ética, não vá contra ela, mantenha suas crenças. Conserve os pés na terra e a cabeça fora das nuvens.

Significado: Dificuldade para realizar uma escolha.
Inverso: Tentação. Amor proibido. Ato irresponsável que possa ter conseqüências dolorosas.

Os Arcanos Menores

O Oito de Copas

É adequado que a figura do Oito de Copas fique junto de um pântano ou um brejo, porque o melhor símbolo para a estagnação emocional que aqui se representa é um tanque de lama. Ocorre quando o fluxo de energia e o amor que nos impulsiona para diante se detêm, e quando você, sozinho, deixa ir sua vida à deriva em plácido oceano, esperando que o vento regresse. Nestes momentos, esperar não costuma ser a melhor solução porque não é provável que algo suceda enquanto você fica sentado. Este é um tempo em que talvez tenha que usar os remos para dar impulso ao bote. O tema principal do Oito de Copas é saber reconhecer quando é o momento de movimentar-se para se afastar dos tempos difíceis. Por ser uma carta de Copas, refere-se de maneira primordial às relações, àquelas nas quais você dá demasiadamente e em troca, não recebe nem sequer o suficiente.

O Tarô Universal de Waite

Uma relação unilateral deste tipo apenas lhe causará dor enquanto dure e, quando aparece o Oito de Copas numa leitura em referência a este vínculo, é uma chamada poderosa para que desperte, uma chamada que não pode ignorar. Abra os olhos nesta situação e veja o que se pode fazer para equilibrar um pouco as coisas. Outro tipo de estagnação de energia que aqui se ilustra é o simples letargo, a falta de motivação e de desejo de sucesso. Em geral, essa apatia se manifesta com queixas sobre o bom que foi o passado e o sombrio que parece o futuro. A lição que o Oito de Copas nos dá neste caso é esta: o passado já se foi e nada pode mudar, devendo tirar o máximo proveito do futuro. Não pode retroceder nem permanecer onde está, chegou o momento do "mexa-se!". É esta uma carta de autodescobrimento que lhe exige seguir seu verdadeiro caminho e encontrar algo melhor. Talvez deva abandonar uma antiga ambição, mas, sem dúvida, surgirá uma nova. Unido a este tema e ajustando-se normalmente ao simbolismo da carta, no geral, está a idéia de que devem ser feitos sacrifícios físicos para que se produza o desenvolvimento espiritual. Olhe a carta uma vez mais: o homem se afasta das suas oito copas douradas bem acomodadas, indo na direção do estéril páramo que se encontra mais adiante. Representa a busca de uma verdade mais elevada, quando as verdades cotidianas do mundo material já não são suficientes para satisfazer a alma. O Oito de Copas está relacionado, de muitas formas, com o Eremita e o Enforcado, que abandonam seus amigos e sua liberdade, respectivamente, para ir buscar a sabedoria. O sacrifício a que propõe o Oito de Copas vem do coração, mas a sabedoria que se ganha preenche amplamente o vazio que criou.

Significado: Necessidade de buscar um sentido para a vida e para suas relações amorosas. Necessidade de despertar.
Inverso: Excessivo interesse nos prazeres.

Os Arcanos Menores

O Nove de Copas

Depois das difíceis escolhas do Sete e da estagnação do Oito, as copas começam a equilibrar-se com o Nove, que é uma das cartas mais positivas e edificantes de todo o baralho. O Nove de Copas mostra satisfação em todos os níveis: emocional, físico e sensual. Não é de surpreender que a maioria dos leitores do Tarô consideram esta como a Carta do Desejo, e, às vezes, sua aparição é tomada como um sinal de que, sem importar o que seu coração deseje, ser-lhe-á concedido nos dias seguintes. Talvez não se lhe outorgue exatamente como se espera, mas pode descansar seguro de que obterá o que quer. Sendo uma carta de Copas, refere-se a uma situação emocional satisfatória,

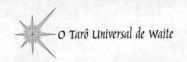

como o fortalecimento de uma união romântica, a solidificação de uma amizade ou a consumação de uma relação sexual. Mostra que, sem dúvida, a alegria e a felicidade estão ao seu alcance e que é provável que já as tenha. É um sinal para desfrutar a abundância da vida durante todo o tempo que dure. Sinta cada uma das suas emoções, como se nunca antes houvera sentido nenhuma delas. Tome algum tempo para si, para que avalie todas as pessoas que ama e todas as que lhe correspondem. Veja a perfeição em tudo que estiver ao seu redor. Num nível mais físico, esta carta assinala deleite e prazer, satisfação com o que tem em bases firmes para o futuro. Todas as sua preocupações estão no passado, pois, daqui para frente, um futuro brilhante lhe aguarda. O Nove de Copas mostra uma saúde excelente, ainda que, quando se exalte de maneira errônea, às vezes, pode apontar para uma super abundância de prazer físico que poderia conduzir à intoxicação e à enfermidade. Contudo, na realidade, esta é a única precaução do Nove de Copas: desfrute da vida e do viver, porém, não vá muito longe, pois o prazer se perde com rapidez se não se pensa nas conseqüências. É raro que o Nove de Copas se refira ao sentido da felicidade espiritual, já que as cartas do espírito são as Espadas. Contudo, não devemos esquecer de que o universo é a fonte de todo o amor e de todo o prazer que fluem até nossas vidas através do Nove de Copas.

Significado: Seus desejos serão realizados.
Inverso: No momento, não conseguirá o que deseja.

Os Arcanos Menores

O Dez de Copas

Os cínicos se enganariam com o estilo de vida idílico que se ilustra no Dez de Copas, em especial, com o arco-íris de copas que adorna o céu. Entretanto, assim é como se costuma representar o verdadeiro amor: alegria e felicidade pelo resto dos dias. Este desejo é muito simples e, na realidade, a existência mostrada no Dez de Copas, com os montes ondulados e a casinha no horizonte, também é uma existência singela. E, no meio desta simplicidade, os corações do homem e da mulher preenchem-se com o amor do espírito: o amor maior e mais simples de todos. O Dez de Copas refere-se a ciclos concluídos, a viagens acabadas e a vidas bem vividas em companhia de outros. Há serenidade e

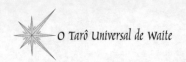

paz no ar e, por um momento, pode-se simplesmente esquecer todos os problemas materiais do mundo que o rodeiam. Aqui não importa nada material, apenas a felicidade eterna, conquistada através de provas e obstáculos. Este êxito não é efêmero ou temporal, mas uma paz e harmonia duradouras que podem ser desfrutadas na realidade. Não existem remorsos pelo passado, nem preocupações com o futuro, pelo que podem ser vividos o momento e o dia presentes. A única preocupação do Dez de Copas é não desperdiçar estes momentos preciosos que lhe foram dados. Não dê por natural sua felicidade, porque, como vimos no Quatro de Copas, assim se lhe escapará. Não permita que este momento se lhe estanque como no Oito de Copas, mantenha um estado de desenvolvimento e de rejuvenescimento constante. Não vá buscando problemas, apenas sinta e desfrute do que tem. O Dez é uma espécie de prova final das lições aprendidas através das outras cartas de Copas. Se omitir uma lição, deverá aprendê-la e tentá-la outra vez. Se prestar atenção, não há nada que temer e nada que possa tirar esse arco-íris do céu. Em muitas religiões, o arco-íris é um símbolo muito espiritual. Na fé cristã é um sinal da proteção de Deus para a humanidade e mostra que a relação representada nesta carta tem a bênção divina, igual à carta dos Enamorados. Muitas culturas antigas, em particular os escandinavos, viam o arco-íris como uma ponte que unia a terra com o reino dos deuses. No Dez de Copas, o arco-íris de copas douradas serve a um propósito similar. Recorda-nos que o maior poder que há no mundo é o do amor; através do amor, podemos vislumbrar o Céu.

Significado: Experiência da felicidade desejada. Realização da suas esperanças e dos seus sonhos.
Inverso: A situação atual causa-lhe depressão e tristeza.

Os Arcanos Menores

VALETE DE COPAS

O Valete de Copas

Quando se refere a pessoas, os valetes costumam ser representados por um menino ou um adolescente. Neste caso, o Valete de Copas é representado por uma pessoa cuja imaginação é totalmente livre, livre para ter sonhos maravilhosos e para criar sua vida exatamente como ele a tenha escolhido. Ainda que sua cabeça esteja nas nuvens, seus pés, rara vez, se desapegam do solo. Quando a energia do Valete de Copas entra na sua vida, manifesta-se numa destas três formas: como uma pessoa que está ao seu redor, como um sucesso que experimentará ou como uma parte de você mesmo que deve manifestar-se totalmente. Como um sucesso, o Valete de Copas refere-se quase

que exclusivamente aos meninos, já que ele mesmo é um menino. Às vezes, o Valete de Copas prediz embaraços e o nascimento de um menino, especialmente se está junto ao Valete de Paus. Também pode ser o sinal do início de uma relação ou uma amizade, um novo nível de felicidade e prazer num vínculo já existente, ou qualquer sucesso relacionado com inícios emocionais. Tais inícios podem aparecer "do nada" ou podem chegar por iniciativa sua, ainda que, às vezes, são muito mais apreciados e emocionantes quando são inesperados. As pessoas representadas pelo Valete de Copas são, na verdade, românticas. Uma pessoa Valete de Copas será amável e compassiva, com freqüência imaginativa e artística. Valoriza a tranqüilidade e a paz, e por isto, muitas vezes, está fora de lugar neste mundo moderno, pois nem sempre pode manejar os conflitos que causa. Boa parte do tempo parece sonhador e despreocupado, ainda que por trás da sua tranqüila calma, encontre-se uma valentia e uma inclinação ao estudo que poderia rivalizar com a de um Cavaleiro. Suas idéias podem parecer evasivas e impossíveis de serem realizadas, porém, na maioria das ocasiões, sua base é sólida. Apesar de poder ser caprichoso e pouco prático por estar tão arraigado ao espiritual e ao emocional, sempre está disposto a servir. Às vezes, o Valete de Copas mostra um lado de você mesmo que é necessário manifestar-se. A aparição do Valete afirma-lhe que nunca deixe de escutar sua intuição e de crer nos seus sonhos. Afirma-lhe que se deixa de sonhar: seus sonhos jamais se tornarão realidade, porque não existirão. Com freqüência, nos seus momentos mais escuros, os sonhos podem proporcionar um raio de esperança, através do qual o Valete de Copas se manifesta. Atreva-se a sonhar e todas as coisas se tornarão possíveis.

Significado: Jovem que pode oferecer-nos sua ajuda. Pessoa tranqüila e agradável.
Inverso: Letargia. Preguiça para formar planos.

CAVALEIRO DE COPAS

O Cavaleiro de Copas

Diferente dos Cavaleiros de Paus e de Espadas, o Cavaleiro de Copas não se lança veloz através do campo, com o vento soprando em sua crina. Seu cavalo move-se para diante, mas com lentidão, sugerindo calma e paz. Na realidade, o Cavaleiro de Copas é o mais feminino dos quatro, ainda que não signifique que seja menos cavaleiro. Ele está em contato com suas intuições e suas emoções e as usa para seu próprio benefício durante sua busca de romance e sedução. Pode-se manifestar como um acontecimento, uma pessoa ou como uma parte de você mesmo. A posição do Cavaleiro de Copas implica a de um mensageiro, o que não é de surpreender que muitas vezes se

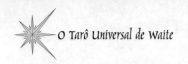

manifeste como um portador de notícias. Representa convites, mensagens de amor e propostas de matrimônio. Além dos recursos físicos de informação, o Cavaleiro de Copas também pode representar o início de uma relação, mas neste caso, costuma servir de advertência para alguma das partes. Mostra sonho e idealismo e pode destacar relações nas quais uma das partes se encontra num pedestal injusto. Após tal consideração, é fácil ver que a pessoa representada pelo Cavaleiro de Copas será sonhadora, alguém que é propenso às idéias selvagens e aos arranques de fantasia. Sua imaginação desenfreada põe algo de esperteza em toda relação em que se envolve e sempre parece ter uma relação de qualquer classe, porque nasceu romântico incurável. Atrás de sua calma exterior, é um homem de extensa paixão, ainda que, em geral, sua atenção é desviada até o êxito de suas metas e a fazer de seus sonhos uma realidade. Tem uma visão idealista da vida, que é menosprezada pelo ativo e depreciada pelo realista. E pelo contrário, não tolera pessoas que não crêem nos seus sonhos. Quando você ficar envolvido nos seus sonhos, ou quando seu idealismo começar a cegá-lo, o Cavaleiro de Copas aparecerá como uma advertência. Quando você não tiver sonhos e sua visão for realista em demasia, aparecerá para mostra-lhe que se equivoca! Sua visão da vida é moderada e imparcial, na maioria dos casos. Siga os seus sonhos, porém, não permita que se tornem uma obsessão. Desenvolva sua imaginação e permita que o guie, porém, nunca que o governe totalmente, ou pelo contrário, o levará à ruína. Demonstre amor, porém, não se arroje a ele nem se comprometa com algo que não possa manejar. Assegure-se de ter o controle da sua vida e dos seus sonhos.

Significado: Uma pessoa como a indicada aparecerá em sua vida ou lhe oferecerá ajuda.
Inverso: Meias verdades. Se receber uma oferta pouco usual, assegure-se antes de aceitar.

Os Arcanos Menores

RAINHA DE COPAS

A Rainha de Copas

Nenhuma intuição é mais poderosa do que a da Rainha de Copas. Ela é a força pura da Água, e o seu vínculo com o inconsciente rivaliza apenas com o da Sacerdotisa. Muitas vezes, é como um espelho que reflete o mais profundo do pensamento escondido de outros. Não obstante. sua copa está fechada e seus próprios segredos permanecem invisíveis para todos, em certas ocasiões, inclusive para ela. Este é o paradoxo e a fluidez do elemento Água. Quase nunca se manifesta como um sucesso. Quase sempre se encontra a Rainha de Copas em pessoas próximas, ou inclusive em você mesmo.

No mundo real, a Rainha de Copas sente-se a gosto nos reinos do inconsciente. Se não é psíquica, possuirá um discernimento extraordinário sobre o comportamento e a motivação de outros. Com freqüência será uma conselheira e uma curandeira

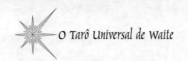
O Tarô Universal de Waite

genial, pronta para proporcionar um ombro onde chorar e a mão para estender, sempre que for preciso. É bela em quase todos os aspectos, porque sua beleza é a pureza do seu espírito e essa magnificência tem um encanto reconhecido em quase todo o universo. Ainda que não tenha atrativo físico, atrai outros até ela. A Rainha de Copas também é uma sonhadora, com fantasias maravilhosas e uma vívida imaginação. E é daqui que surgem as qualidades mais negativas desta Rainha. Às vezes, perde-se em si mesma com suas fantasias e seus sonhos, e ainda confia completamente em seus instintos; na maioria das vezes, não é capaz de aplicá-los ao mundo real. Ninguém pode competir com ela em música, poesia, criação e arte (em tudo o mais pode ser medíocre). Ao passar tanto tempo no mundo espiritual, sente-se desconfortável ao ter de deixá-lo. Dá muita importância às relações porque se vê a si mesma como incapaz de ficar só. Dentro de cada um de nós existe uma Rainha de Copas e, em alguns, ela se encontra mais próxima da superfície do que em outros. Quando aparece, referindo-se a sua própria personalidade, a Rainha de Copas deve ser tomada como sugestão para pensar com cuidado sobre como utilizar os vastos recursos da sabedoria espiritual, pelos que têm acesso a ela, todo tempo. Pode ser um sinal de que você deva usar sua intuição para guiar-se, ou uma advertência, quando pensa mais com o coração do que com a cabeça. Isto pode ocasionar que seus sonhos saiam do controle. Como todas as cartas de Copas, a Rainha fomenta um enfoque moderado na intuição e na sabedoria. O coração pode ver mais longe, mas algumas vezes, há que olhar as coisas com os olhos.

Significado: Mulher ou pessoa muito sensível, que se baseia mais na intuição que no sentido comum. Situação agradável.
Inverso: Cuidado ao fazer confidências a certa pessoa. Não possui a sabedoria nem a boa disposição que você crê.

Os Arcanos Menores

REI DE COPAS

O Rei de Copas

O Rei de Copas é uma figura estranha e ambivalente. Esta imagem masculina e poderosa parece quase fora do lugar no elemento Água, como a Rainha de Paus, que se sente incômoda no reino do Fogo. Por isso, o Rei de Copas é, muitas vezes, visto como uma carta de contradições. Representa alguém aparentemente calmo, mas apaixonado e inconstante no seu interior. Mostra uma situação que, à primeira vista, não é o que parece. Sob este exterior jocoso o Rei de Copas esconde os seus motivos. Podemos encontrá-lo em nossas vidas como outra pessoa ou como uma faceta da nossa própria personalidade. No geral, é um homem de arte ou religião: o Rei de Copas aparece como um conselheiro e um curador nobre. Ele ouve as sugestões dos outros, ainda que estejam em conflito com suas próprias opiniões. Nunca julga nem culpa o outro pelos erros cometidos, e

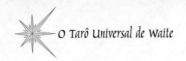

é sempre um apoio compassivo. Motivo pelo qual outros sempre se reúnem ao seu redor para ouvir o que tem a dizer, porque sua sabedoria fala direta a partir do coração. É um diplomata por natureza, um romântico até a medula e um companheiro estimulante, seja na conversação, na amizade ou na relação sexual. Raras vezes carece de confiança e, nestes poucos casos, ninguém se dá conta. De fato, o Rei de Copas quase sempre esconde algo. Desfruta do poder silencioso que tem sobre outros e sua agenda pessoal está tão bem como seus discursos. É um sedutor que tem êxito com as mulheres e, neste sentido, algumas vezes é egoísta e desleal. Ainda que tenha um ar de inocência, seu personagem não costuma sê-lo suficientemente profundo. Tudo isto é um resultado direto da batalha entre sua alma apaixonada e seu coração de Água. As duas influências opostas empurram-no às direções diferentes por completo e, com freqüência, não sabe qual seguir. O que se poderia esperar desta combinação? É inseguro, indeciso e freqüentemente permite que outros ajam por ele. A aparição do Rei costuma ser um sinal de que deva se utilizar da paz e da tolerância para solucionar seus problemas. Use a diplomacia mais do que a força e aceite diferentes pontos de vista. Não culpe outro pelos erros que cometem, ajude-os para que possam ter êxito de novo. Quando o Rei de Copas representa uma parte de você mesmo, deve assegurar-se de que não manifeste sua energia de uma maneira negativa. O tema da moderação é crucial. Se este se inclina até ao lado irritável do Rei, queimar-se-á nas suas chamas internas, mas se se deslizar dentro da água profunda das suas emoções, poderá submergir e afogar-se. Permaneça no meio e estará salvo.

Significado: Homem maduro com as características descritas. Bom conselheiro.
Inverso: Esta pessoa não é o que aparenta ser. Melhor procurar você mesmo uma solução para seu problema.

Os Ouros

Os Ouros representam o elemento Terra: o dinheiro, os negócios, os assuntos materiais, a segurança, a fortuna, o bem-estar físico e a precaução. Os Ouros constróem segurança física com base no material. Expressam-se eles mesmos através dos cinco sentidos: a visão, a audição, o tato, o paladar e o olfato. São cartas de resultados, ações e reações tangíveis. Seu funcionamento é bastante simples, lento, estável e sem grandes influências das emoções.

Os Arcanos Menores

AS DE OUROS

O Ás de Ouros

O Ás de Ouros é a base de todo tipo de projetos no mundo real; esta base pode ser tão valiosa como o ouro e tão sólida como o cimento. É a pedra angular de um edifício que pode durar décadas ou logo ruir para transformar-se em pó. O Ás de Ouros não é a promessa de segurança financeira e material em longo prazo que alguém poderia esperar, mas um sinal de que estas coisas estão ao seu alcance. Fornece-lhe recurso para que vá à busca de metas superiores. A aparição desta carta costuma ser o sinal de uma mudança para melhor em termos de fortuna e riqueza, e, algumas vezes, indica presentes de dinheiro ou

heranças de origem inesperada (por isso a moeda que aparece no "ar"). Claro que um presente não tem que ser dinheiro; o Ás de Ouros pode indicar qualquer tipo de presente que tenha valor, tanto para aquele que dá, como para aquele que recebe. Em particular, com freqüência se refere a anéis de bodas e compromissos de matrimônio, o que poderia parecer fora de lugar, sabendo que estamos nos Ouros, mas estas propostas são a base sólida em que devem ser construídos os castelos de amor. O Ás de Ouros também representa o solo fértil em que se podem semear idéias para que cresçam e amadureçam. Este será um desenvolvimento lento, já que os Ouros nunca se movem com passo rápido, mas o êxito da colheita é quase seguro. A única advertência é que os Ouros exigem uma perspectiva realista. Se quiser ter êxito, comece agora, não há tempo de sonhar e fantasiar quando há trabalho a ser feito! Esqueça adornos e dramaticidade, porque o trabalho é o único que produz resultados quando o Ás de Ouros está em pé. Mantenha os pés na terra com firmeza e permita que seu sentido comum e sua intuição o guiem até o êxito. Na maioria dos casos, os reinos do material e do espiritual excluem-se e, inclusive, podem ser prejudiciais um ao outro. Entretanto, no Ás de Ouros estão representados todos os tipos de riqueza, ainda que, sem dúvida, o destaque está no mundo material. No *Tarô Universal de Waite*, podemos ver, à distância, através da claridade nos arbustos, as frias montanhas do pensamento abstrato e material: é possível conseguir a paz espiritual através de meios materiais, se é que se conhece o caminho.

Significado: Início de prosperidade ou aventuras bem sucedidas.
Inverso: Segurança falsa, planos que parecem muito bons não serão materializados.

Os Arcanos Menores

O Dois de Ouros

A dualidade do número Dois é particularmente forte no Dois de Ouros, porque implica equilíbrio e mudança, numa combinação do inativo com o ativo, que a princípio parece bem mais absurda, pois, se algo muda constantemente, como pode permanecer equilibrado? Dar-se conta de que o equilíbrio também é uma qualidade dinâmica é a chave para entender a energia do Dois de Ouros. É como um malabarista que mantém bolas em constante movimento, mas sempre sob seu controle. Comumente, o Dois de Ouros assinala mudança quase segura no geral da sua vida e na sua situação financeira em particular. A única maneira de desenvolver o corpo e a mente é a mudança constante e a

melhoria pessoal, e o Dois de Ouros é, sem dúvida, o defensor desta filosofia. Se ultimamente se sentiu aborrecido, divirta-se para variar! Se, porém, não trabalha em nada porque joga o tempo todo, diminua um pouco. O princípio do equilíbrio é o que governa aqui. Em termos do mundo material, o Dois de Ouros costuma indicar que tem vários projetos em processo ao mesmo tempo. Podem estar relacionados com o trabalho, com passatempos pessoais ou outros temas. Esta carta pode mostrar inclusive o equilíbrio dinâmico entre a família e a carreira. Costuma ser um sinal de que você tem tudo sob controle no momento. Todavia, nem sequer o mais experimentado malabarista pode, eternamente, praticar seus exercícios e esta carta é, às vezes, um recordatório de que cedo ou tarde terá que diminuir o ritmo. Poderia significar que tenha de descuidar de um projeto para terminar outro. Contudo, abandonar um projeto, é melhor do que ter de deixá-los todos. É uma advertência de que buscar assumir novos projetos, neste momento, talvez seja uma idéia ruim. Quando um malabarista tem duas bolas que domina com perfeição e agrega uma terceira, pode continuar praticando malabarismos, ou também pode deixar cair tudo no chão. Nestas ocasiões, o Dois de Ouros afirma-lhe que seja flexível. Se lhe apresenta uma oportunidade que não pode perder, mas já tem muitos projetos em marcha, talvez deva sacrificar algum para assumir esta nova oportunidade. E, sobretudo, ao abordar mudanças, deve manter o equilíbrio.

Significado: Dificuldade para escolher ou para viver com duas situações diferentes. Vale a pena decidir-se por uma delas.
Inverso: Necessidade de maior organização.

Os Arcanos Menores

O Três de Ouros

O Três de Ouros vem dizer-nos que o trabalho e o serviço são, por si mesmos, recompensas. Todos buscam um trabalho que desfrutem e que possam fazer bem, e esta carta mostra carreiras que são satisfatórias, tanto do ponto de vista emocional como do econômico. Parece que este tipo de trabalho é cada vez mais difícil de conseguir nestes dias, mas o Três de Ouros mostra que alguns dentre nós ainda podem consegui-lo. São trabalhos que nos inspiram a fazê-lo da melhor forma possível e a cooperar com outros, até o sucesso de um objetivo em comum. São satisfatórios em quase todos os níveis. Contudo, para consegui-lo, tem que ser responsável e justo no seu trato com os demais.

O Tarô Universal de Waite

Deve apegar-se aos horários, seguir os procedimentos e fazer tudo conforme o manual. Tudo isto pode soar aborrecidamente e impedir a expressão da própria individualidade, mas esta é uma carta de Ouros, portanto, tem a ver com os regulamentos e o conservador. Os Ouros representam a segurança que proporciona o convencional. Dentro do convencional, porém, você tem liberdade completa para expressar-se e para encontrar formas de desenvolver suas habilidades e de desenvolver-se a si próprio. Se tiver êxito – e o Três de Ouros é um sinal desse êxito recente – confie e faça seu trabalho de modo brilhante. Esta carta mostra que, com determinação e trabalho árduo, tudo é possível. É questão de dedicar energia a uma causa e ver oportunidades onde ninguém mais as vê. Olhe cada ocasião, como um escultor olha para o bloco de pedra ou como um pintor tem uma tela em branco. Veja seu potencial oculto sob o exterior simples e tedioso. Talvez o artista seja quem tem a máxima liberdade de expressão através do seu trabalho, porque cada peça de arte é, na realidade, uma parte da pessoa que a criou. O Três de Ouros é um sinal de que qualquer um, não apenas os escultores e os pintores, podem expressar-se mediante seu trabalho, e indica que você, sem dúvida, deveria tentá-lo. Não obstante, não significa que deva descuidar-se dos aspectos mais importantes do seu trabalho para se divertir. É possível integrar o equilíbrio entre o trabalho e o prazer, conforme vimos no Dois de Ouros, mas sem nunca se esquecer do que é importante.

Significado: Prêmio, reconhecimento do trabalho e do talento.
Inverso: Experiência insuficiente. Necessita aprender mais. Atrasos. Falta de ambição.

Os Arcanos Menores

O Quatro de Ouros

A natureza dos Ouros - e na realidade do ser humano – é inclinar-se para o tradicional e recear as mudanças. De fato, a mudança pode alterar a segurança e o equilíbrio que nos foi ensinado conseguir e, uma vez que tivermos êxito, não deveríamos tratar de conservá-lo?

Tal filosofia orientou muitas pessoas a continuar triunfando, mas outras foram levadas a perder tudo o que esperavam conservar. O Quatro de Ouros pode mostrar tempos de segurança material e de felicidade e, às vezes, marca um momento de ganância financeira, já obtida através do trabalho, já adquirida de maneira simples de outra fonte como uma herança, por

O Tarô Universal de Waite

exemplo. É uma carta de poder terreno, mas sem ganância emocional ou espiritual que o acompanhe. É aqui que seu significado passa a ter um giro negativo. Sem sabedoria que o ajude a manejar suas propriedades materiais, as esbanjará ou começará a entesourá-las. Ambas as atitudes o levarão à frustração e à desilusão. Com freqüência, o poder, sem o necessário conhecimento, prejudica o usuário. Esta é a carta do avaro e nos mostra todos os efeitos da cobiça e do egoísmo. O avaro recusa-se a ajudar outros que sofrem necessidades para não perder nada do seu dinheiro ganho com esforço. Assim, perde muitas pessoas as quais considera como amigas. O avaro deixa de divertir-se, porque constantemente se preocupa com quanto lhe vai custar a "diversão". Suas bases podem ser estáveis, mas nunca estará a gosto; se seu lar é uma fortaleza, ele investe cada momento da sua vida em defendê-la. E tarde ou cedo, a mudança o golpeará e será humilhado, apesar dos seus esforços. Esta carta personifica a possessão de dinheiro, de propriedade e, inclusive, de outra pessoa. Na maioria dos casos, o Quatro de Ouros nos diz que temos de deixar passar. Ao liberar-se da avareza e do egoísmo, você pode perder algum dinheiro, mas o ganho em termos de felicidade superará qualquer perda material. Talvez, algumas vezes se encontre preso ao passado, como o homem desta carta está apegado às suas moedas, e, se é assim, a aparição do Quatro de Ouros deve ser tomada com um sinal de que deve deixar seu passado para trás. Ainda, se pensar que o passado foi melhor do que o presente, não deve apegar-se a ele, nem usá-lo como seu cobertor de segurança.

Significado: Excessivamente apegado a fins ou a coisas materiais. Capacidade de trabalho e de acúmulo. Possível herança.
Inverso: Obstáculos ou perdas. Atraso nos planos.

Os Arcanos Menores

O Cinco de Ouros

Num mundo em que a segurança financeira é equiparável ao êxito, a perda mostrada no Cinco de Ouros pode ser uma humilhação e um grande golpe para a auto-estima. Pode ter tido várias origens, e ainda que a causa pareça estar num sucesso externo, com freqüência. esta carta mostra uma perda. Apesar de os Ouros indicarem o material e os números Cinco costumem mostrar problemas do mundo real, o tema da pobreza não é o destino verdadeiro que mostra o Cinco de Ouros. Sempre há uma perda espiritual que costuma preceder ou acompanhar a perda de riqueza material. Entretanto, como por vezes há outros problemas externos que devem ser resolvidos antes de atender

173

ao conflito interno, deve-se explicar primeiro o significado exterior do Cinco de Ouros. Esta carta mostra as muitas faces do infortúnio material e da carência: perda de fundos, pobreza geral, enfermidade, desemprego e solidão. Também lhe diz que muito disto é causado por suas emoções. A avareza o conduzirá à perda; a ansiedade, ao erro; o caráter dominante, à solidão. Ao concentrar-se no material, perde de vista o desenvolvimento espiritual que o Ás prometeu. Pode ser rico por um tempo, mas perderá tudo se não aprender nada. Isto nos leva ao significado mais espiritual do Cinco de Ouros. Esta carta representa o lado obscuro da alma, quando você tropeça na escuridão porque já não pode ver a luz que brilha em seu interior. Por vezes, durante momentos como este, a salvação não está longe, mas, como está tão preocupado com seus problemas materiais, não pode vê-la. As duas pessoas que vemos no *Tarô Universal de Waite* passam junto a uma igreja iluminada, sem terem consciência de que estão próximos da solução dos seus problemas. A igreja é aqui um símbolo adequado, pois proporciona consolo espiritual e ajuda àqueles que não podem valer-se por si mesmos. O Cinco de Ouros quase sempre é uma advertência de que provavelmente vá experimentar algum tipo de perda, ou material ou de outro tipo. Se esta perda não aconteceu, pode preveni-la ou diminuir o golpe. Preocupar-se apenas fará com que a situação piore. Deixe de preocupar-se e faça algo! Se está numa situação em que perdeu uma vultosa quantia, saiba que tem capacidade suficiente para voltar a recuperá-la. Sempre há uma solução, uma saída, a janela de uma igreja, à volta da esquina. Abra os olhos e vá até ela, ou melhor, feche-os e permita que sua luz interior o guie.

Significado: Reserve um tempo para repassar o que está ocorrendo na sua vida e o que é que realmente deseja.
Inverso: Aceite a lição cármica. Não se deixe levar pelo orgulho. Isto também passará.

O Seis de Ouros

O Seis de Ouros é a luz do amanhecer, após a escuridão do Cinco. Se a lição do Ás foi aprendida, veremos que a generosidade tem dois lados, semelhante à balança desenhada nesta carta que pode indicar que você é quem emite generosidade, ou melhor, é o receptor do favor de outra pessoa. Geralmente, o Seis de Ouros representa a primeira destas situações, quando é sua generosidade que está (ou deveria estar) se expressando. Uma vez que viveu na escuridão, o suficiente para ver a luz interior, é o momento de ajudar a outros que não têm sido tão afortunados. A generosidade do Seis não se limita a dinheiro e coisas materiais, ainda que nele esteja enfocado, por ser uma carta

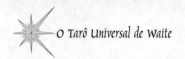

de Ouros. Dar seu tempo ou sua sabedoria costuma ser tão espiritualmente satisfatório como dar dinheiro ou presentes. As dádivas intangíveis da sua presença são igualmente ou, inclusive, melhor recebidas. Não obstante, há limites para a ajuda. Não tem cabimento dar tanto que você fique na ruína, e também é inútil dar a uma pessoa até fazer que ela se torne por completo dependente de você. A balança indica discriminação e juízo justo a respeito da generosidade. Deve dar segundo sua capacidade e segundo as necessidades dos demais. E, se muitos começarem a pedir-lhe ajuda, não passe dos seus limites! Não cometa o erro de ajudar pela metade a todos, quando pode ajudar melhor algum. Algumas vezes, você deverá recorrer da amabilidade de outros para ajudá-lo a passar os maus momentos, em especial, aqueles períodos de escuridão espiritual, representada pelo Cinco. Assim, a aparição do Seis de Ouros pode indicar também que alguém deseja ajudá-lo, seja com dinheiro, seja com conselhos que o guiarão pelo bom caminho. Entretanto, geralmente esta carta parece dizer que se deve ser generoso, pensar em quem necessita de ajuda entre aqueles que o cercam e ver de que maneira lhe faz falta. Aqui entra a lei de causa e efeito: sua generosidade será recompensada. Uma boa ação e uma palavra amável podem trazer-lhe um novo amigo.

Significado: Coisas boas. Possível ascensão. Ambiente feliz. Desfrute do bom resultado do seu trabalho.
Inverso. Situação pouco satisfatória em relação a negócios ou dinheiro. Prosperidade ameaçada. Talvez, inveja de outros. Seu trabalho não é devidamente reconhecido.

Os Arcanos Menores

O Sete de Ouros

O Sete de Ouros mostra um tempo em que deve escolher entre conservar o que tem ou tratar de conseguir mais. É provável que esta seja a carta mais abertamente dualista, entre todas as de Ouros. Por um lado, temos a perspectiva conservadora do não correr riscos e manter o que tem. Por outro, existe a opção de sair e obter mais riquezas, mas arriscando-se a perder tudo. A decisão é difícil, pois nenhuma das opções é muito mais atraente do que a outra, e ambas estão apoiadas na natureza dos Ouros. Muitas vezes, após acabar um projeto e receber recompensas pelo árduo trabalho realizado, ficamos com uma sensação insatisfatória, o que pode ocorrer por várias razões: se

sente que não fez seu melhor esforço, é natural que queira tentar de novo e fazê-lo melhor; se o realizou e não parece tão maravilhoso como você o esperava, tem que voltar a reavaliar todo o seu planejamento e buscar algo novo. Ou talvez, apenas sinta um certo vazio em seu interior. Obteve uma grande vitória; está muito bem, mas e agora? O que fará? Evidentemente não pode descansar em seus louros, a mudança é necessária. Entretanto os Ouros nos dizem que com a mudança vem o risco. Para que arriscar o sucesso obtido num intento, para conseguir ainda mais? Não deveria estar contente com o que já tem? Ao menos nos assuntos materiais, com freqüência, é mais prudente permanecer como está, do que arriscar tudo por um pequeno ganho. Eis o grande dilema a ser enfrentado no Sete de Ouros. Quando esta cara aparece, tome-a como um sinal de descanso momentâneo, olhe tudo o que conseguiu e logo decida. Deus descansou no sétimo dia para avaliar o que havia sido feito por ele após qualquer período prolongado de trabalho, ainda assim, decidiu que não ia modificar nada; tome, pois, para si, alguns momentos para olhar para trás e refletir. É provável que encontre um rumo que o leve à direção correta, e neste caso, deve proceder com renovada energia e tenacidade. No entanto, prosseguir talvez pudesse pôr em risco tudo o que até agora ganhou. Não é nenhuma desonra conservar o que tem, e sempre poderá mudar de opinião quando o desejar.

Significado: Evite a ansiedade. Planeje pormenorizadamente e com calma a sua próxima jogada. Mudança para o bem.

Inverso: Ansiedade e depressão. Incapacidade para tocar adiante um projeto. Sua impaciência pode arruinar tudo.

Os Arcanos Menores

O Oito de Ouros

O Oito é a primeira carta de Ouros que toca explicitamente no reino espiritual, ainda que o faça brevemente e apenas em certas circunstâncias. Na maioria das vezes, refere-se a momentos de trabalho duro e a uma dedicação ao reino material a fim de melhorar tanto no próprio trabalho como a si mesmo. Ao contrário do Três de Ouros que apresenta uma carreira proveitosa e rentável, o prêmio do Oito de Ouros não costuma chegar até ao fim, mas quando chega, seu alcance supera o imaginado, já que pode transcender o reino do material. Nos assuntos materiais, o Oito de Ouros indica o tipo de dedicação que costuma ser necessária para que se logre êxito, quer dizer, um conjunto

de vários ingredientes, entre os quais está a atenção ao detalhe, à perseverança, à concentração, e, sobretudo, trabalhar por amor ao trabalho. Se permanecermos comprometidos com a tarefa, esta carta nos indica, igualmente, um sentido de segurança material e econômica, ainda que o mencionado compromisso não esteja forçosamente limitado ao material, pois o Oito de Ouros pode indicar um compromisso ou uma dedicação a uma relação, por exemplo, ou a aprender novas habilidades e, neste ponto, é onde sua dimensão espiritual se torna mais aparente. Na carta vemos um aprendiz que está praticando seu ofício. Como o Eremita, procura o conhecimento. Embora este conhecimento geralmente seja de tipo prático, algumas vezes pode ser espiritual. O Oito de Ouros é a carta do aprender fazendo. Quando aparece numa leitura em referência a um projeto ou a uma tarefa em que você tenha estado trabalhando, ele será indicação de que deve redobrar seu esforço e sua concentração, pois o prêmio já está próximo. Talvez seja difícil o que está fazendo, mas a experiência e o conhecimento que adquirirá com ele serão de um valor enorme. Procure alguém experimentado e desejoso de ajudar. Todo aprendiz necessita de um professor que o guie e, sobretudo, não separe sua visão da meta. Uma vez que tenha começado o trabalho, não se pode deixá-lo até que o haja concluído. E seja ele grande ou pequeno, é muito importante que seja bem feito.

Significado: Estudar ou aprender algo para o futuro. Talvez, na atualidade, seu trabalho não seja muito rentável, mas será no futuro.

Inverso: Está indo por um caminho equivocado. Necessita de um guia. Preocupa-se em demasia com o ego, com sua imagem. Excessivamente ansioso por obter resultados imediatos, o que é negativo.

O Nove de Ouros

O nove é o número da perfeição e da finalização, e o Nove de Ouros indica ambas as qualidades, tanto no reino material como no espiritual. Ainda que sendo Ouros, sua significação primária é material, mas também implica um conteúdo espiritual. Uma vida de trabalho e de esforço, não apenas gera recompensas de natureza material, mas também, sabedoria e satisfação. A abundância de bens materiais leva a uma abundância emocional, que pode levar à abundância espiritual. Não obstante, o enfoque principal desta carta, está no plano material. Mostra uma sólida base econômica, uma segurança e conforto. É o resultado natural da escolha realizada com o Sete e do trabalho

com o Oito. Algumas vezes nos chegará de forma inesperada, como, por exemplo, através de uma herança, mas na maioria das vezes é algo que deve ser ganho com o esforço. Aqui também entra em jogo a responsabilidade de administrar estes bens e de decidir o que fazer com eles, uma vez que o Nove de Ouros implica uma certa disciplina, a fim de assegurarmos que os bens não serão dilapidados ou mal aplicados. A pessoa tem todo o direito de sentir-se orgulhosa pelo que conseguiu e seu êxito será reconhecido pelos demais. Não obstante, ele não é importante. O único juiz verdadeiro é ele próprio. E é esta a principal lição do Nove de Ouros. O êxito material o ajudará a solidificar sua auto-estima e o desfrute da mesma é algo que não depende dos demais, mas somente de você. Esta carta mostra o equilíbrio entre ganho material e sabedoria espiritual, é uma combinação entre a posse dos bens e seu desfrute. Ela implica em não se poder concentrar exclusivamente na possessão e no acúmulo de riquezas; deve-se aprender da situação e deve-se desenvolver o próprio valor, o que, por sua vez, elevará a auto-estima e logrará novas promoções e ganhos. Esta carta mostra a necessidade de observar como é afortunada a pessoa, tanto material como espiritualmente. Parece que seus desejos de êxito já lhe foram concedidos.

Significado: Seus negócios estão sendo bem levados. Ainda que os demais creiam que já os tenha adquiridos por completo, você continua procurando algo, talvez uma satisfação interna.

Inverso: Possível obstáculo numa situação difícil. Talvez perda de uma amizade, um companheiro, uma casa etc. Evite tomar decisões precipitadas.

O Dez de Ouros

Um dos problemas gerados pelos bens materiais é necessidade de decidir o que fazer com eles, e este é o significado essencial do Dez de Ouros. Esta carta personifica todos os traços positivos dos Ouros: segurança, felicidade e sabedoria procedente da experiência no mundo real. Como todos os dez, o de Ouros recorda-nos que aprendemos lições importantes e que devemos aplicá-las nos problemas atuais. Agora que você possui todos os bens e a felicidade que desejava, o que vai fazer com tudo? Ao chegar a este ponto, tratar de acumular mais riquezas - lembre-se do Sete – é uma escolha ruim. Tampouco pode simplesmente aferrar-se aos bens, pois, como nos indicou o Quatro, as tentativas

para garantir-se com segurança sempre levam ao fracasso e à destruição do que se queira conservar. Tampouco, porém, pode-se dar simplesmente a outros, como indicava o Seis, pois é justo que você desfrute dos bens. O Dez de Ouros indica-nos que o correto é passar esta riqueza – tanto material, como espiritual – para a geração seguinte, a fim de que ela possa desfrutar do mesmo êxito que você teve. Ainda que seus bens pessoais sejam limitados, o conselho dado por um pai a seu filho ou por um avô ao seu neto não é menos valioso. Esta é a melhor herança, os bens intangíveis. Entre os possíveis usos dos bens materiais está o de servir ao bem-estar dos seres queridos. E não se esqueça de transmitir igualmente sua sabedoria e sua experiência àqueles que possam necessitar.

Significado: Situação econômica próspera. Segurança. Talvez uma herança.
Inverso: Um problema atrás do outro, principalmente econômico. Letargia. Desgosto com alguém próximo.

Os Arcanos Menores

VALETE DE OUROS

O Valete de Ouros

O Valete de Ouros é o mais responsável de todos os valetes, devido à natureza terrestre dos Ouros. O fato de que uma pessoa tão jovem esteja tão centrada e tão disposta a aceitar grandes responsabilidades é pouco comum, e ter um Valete de Ouros próximo de nós é uma sorte. Ainda que, na realidade, apenas os benefícios imediatos da riqueza o preocupem, o Valete de Ouros a administra muito melhor que a maioria dos adultos. Do mesmo modo que os demais valetes, pode aparecer sob três formas: como um fato, como uma pessoa ou como um aspecto da nossa própria personalidade. Quando se refere a um acontecimento, o Valete de Ouros sempre costuma indicar um assunto material, ou referente ao trabalho, ou à carreira (a única exceção é quando aparece junto ao Valete de Copas ou de

O Tarô Universal de Waite

Paus, o que indicaria uma dificuldade). Sua presença pode predizer uma ascensão, um novo trabalho ou uma nova fase no trabalho atual, mas sempre com uma melhoria econômica. Espere pelo mensageiro que lhe trará esta boa nova e não a deixe passar, pois, ainda que à primeira vista não pareça tão positiva, na realidade ela é. Quando indica uma pessoa, o Valete de Ouros geralmente se refere a um ser jovem de corpo, mas com a mente madura. É um trabalhador inteligente e um administrador efetivo que utiliza o senso comum, mais que a intuição e que se apega à ortodoxia, sem correr riscos. Apesar disto, sempre está aberto às novas idéias e não é tão dogmática como as demais figuras de Ouros. Vê as oportunidades inerentes a cada situação e busca a maneira de explorá-las, utilizando os recursos de que dispõe. O mundo é muito agradável ao Valete de Ouros e ele tratará de conservá-lo, como conserva o modo clássico de pensar e de fazer as coisas. O Valete de Ouros existente em nosso interior é uma energia a que devemos recorrer quando nos confrontamos com uma grande responsabilidade ou quando temos que dirigir uma equipe. Nestes casos, deveremos ser conscientes dos nossos recursos e utilizá-los sabiamente, pois somente assim poderemos lograr êxito. Quando a referida energia estiver forte em nosso interior, desenvolveremos uma paixão por aprender e absorver novas idéias. Estas novas idéias não têm por que ser limitadas a assuntos de trabalho ou de dinheiro, ainda que seja normal que muitas delas sejam aplicadas aos negócios. Procure as oportunidades e expresse sem medo as suas idéias. Aplique seu conhecimento com entusiasmo, pense de maneira prática em todo momento, e assim, jamais poderá fracassar.

Significado: Jovem estudioso com as características descritas. Encontro com uma pessoa simpática ou generosa. Mudanças para melhor.

Inverso: Sua opinião não é apreciada pelos que o rodeiam. Notícias desfavoráveis.

Os Arcanos Menores

CAVALEIRO DE OUROS

O Cavaleiro de Ouros

Apesar de sua visão não parecer nada de extraordinário e seus métodos dificilmente possam ser considerados como originais, o Cavaleiro de Ouros consegue que qualquer coisa que empreenda se veja coroada de êxito. É o menos ágil dos quatro cavaleiros e provavelmente o menos ambicioso, mas leva uma carga de responsabilidade que os outros desprezariam no seu afã por conquistar glória e aventuras. A energia do Cavaleiro de Ouros pode ser expressa de três formas: como um sucesso que você vai experimentar, como uma pessoa que vai conhecer, ou como uma parte de você mesma que deve desenvolver-se e encontrar expressão. Como fato, o cavaleiro de Ouros representa um tempo

em que terá de assumir certa responsabilidade e tornar-se responsável por uma determinada situação. Talvez se lhe encarregue de um projeto ou de uma tarefa especial, e deva dedicar parte do seu tempo a assegurar-se de que a referida tarefa ou o projeto seja levado a cabo com êxito. Talvez a mencionada responsabilidade não tenha a ver com um projeto novo, mas com um fracasso anterior, com o qual você esteve relacionado. Qualquer que seja o caso, deverá aceitar a responsabilidade, sem queixas nem manipulações. O Cavaleiro de Ouros possui o corpo mais forte dos quatro cavaleiros e também, o que em casos como este, é o mais importante, o caráter mais forte. Em situações nas quais outro homem arremeteria sem pensar, conseguindo pouco mais que se lastimar a si próprio, o Cavaleiro de Ouros considera a situação e logo golpeia com a força de um furacão, de maneira decisiva e implacável. É um trabalhador dedicado e um servidor leal. Quando diz que vai fazer algo, o faz. Sua perseverança é virtualmente inesgotável e continua até terminar o trabalho. Sua palavra é tão forte como a sua mão e cumpre suas promessas com a maior seriedade. Agrada-lhe fazer as coisas ao estilo antigo e poderia dizer-se que seu único ponto fraco é sua falta de imaginação. Nos momentos em que poucas pessoas mantêm sua palavra e muitos não cumprem com suas responsabilidades, é bom ser como o Cavaleiro de Ouros. Os demais nos respeitarão e o trabalho produzirá os resultados que desejamos se formos realistas ao fixar nossas metas. Não deixe nada ao acaso, planeje e registre quais são os objetivos e, se você se mantiver com os pés na terra, terá muitas possibilidades de êxito.

Significado: Pessoa com as características descritas. Ama os animais, poderia ser veterinário. Necessita motivação constante.

Inverso: A atitude irresponsável e impaciente deste jovem o impede de progredir.

Os Arcanos Menores

RAINHA DE OUROS

A Rainha de Ouros

A Rainha de Ouros possui a energia de um Arcano Maior, ainda que num nível mais acessível. É como uma imagem da Imperatriz, enquanto rainha da fertilidade e da colheita. A única diferença é que a Imperatriz possui a capacidade de criar a vida, enquanto que a Rainha de Ouros ocupa-se em manter e cuidar de todas as formas de vida já existentes. É rica num sentido material, mas essa riqueza, supera-a sua amabilidade e sua generosidade. Pode manifestar-se como uma pessoa alheia ou como parte de você mesmo.

    A pessoa representada pela Rainha de Ouros costuma ser mãe, por vezes pode expressar amor e dedicação maternal sem

ter filhos próprios. O fato de pertencer aos Ouros lhe dá uma certa solidez nos assuntos e nos negócios materiais. Suas ambições estão centradas na família e suas metas são uma vida material e emocionalmente feliz. Estas simples metas, às vezes são difíceis de conseguir, mas se dedica totalmente a elas. Ainda que nem sempre seja rica em termos econômicos, é, sim, quanto à riqueza do seu coração, uma riqueza que compartilha com todos os que dela necessitam. Seu único ponto frágil é uma certa obsessão quanto à segurança e à proteção, algo inevitável que pertence aos Ouros. Quando se manifestar em seu interior a Rainha de Ouros, os sinais serão inequívocos. A generosidade será o principal, assim como o ser digno de confiança. Manifestar-se-á uma certa sabedoria, tanto relacionada com temas do dinheiro como com os do coração e, através deles, você poderá encontrar seu caminho espiritual. Em muitos aspectos, a Rainha de Ouros é uma ponte entre dois mundos, o terreno e o espiritual. Atravesse a ponte e desfrute da opulência e da beleza, logo retorne a ajudar os outros. Talvez seu trabalho não seja reconhecido pelos demais, mas não por isso você se sentirá menos feliz.

Significado: Mulher criativa e familiar, como a descrita. Hábil para os negócios.
Inverso: Mulher desconfiada e insegura. Depende excessivamente dos demais. Volúvel e carente de motivação.

Os Arcanos Menores

REI DE OUROS

O Rei de Ouros

Em muitos aspectos, o Rei de Ouros é como o Rei Midas: converte em ouro tudo o que toca. É um pilar de estabilidade econômica, com riqueza e experiência suficiente para dividir com quem quer que seja. É a conclusão lógica de todos os ideais positivos dos Ouros: trabalho diligente, responsabilidade e atenção no detalhe. O Rei de Ouros é sempre rico materialmente, ainda que não seja espiritualmente. Gostaria que todos vivessem a vida como ele, crê que há que vivê-la. Quando surgir esta carta, pode representar uma pessoa externa ou, melhor, um aspecto da sua própria personalidade que está lutando por manifestar-se. Ninguém tem um caráter mais forte que o Rei de

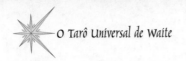

Ouros, e sua palavra é tão valiosa como o ouro. Assim como o Cavaleiro, sempre cumpre o que diz que vai fazer, só que o Cavaleiro o leva a cabo por responsabilidade, enquanto que o Rei o faz em benefício próprio. É um homem de negócios até a medula e domina o mundo material, desfrutando da segurança e da paz mental que ele lhe proporciona. Algumas pessoas vêem o Rei de Ouros como aborrecido e carente de imaginação, mas talvez seja simplesmente porque ele prefere os velhos métodos de pensar e de fazer as coisas. Não se nega a aprender coisas novas, de fato, agrada-lhe aprender e possui uma grande variedade de habilidades, mas os métodos tradicionais funcionam melhor e por isso se apega a eles. É raro ver um Rei de Ouros mal-humorado, pois seu temperamento costuma ser tranqüilo, mas não perdoa aos que traem sua confiança. Quando precisar de habilidades necessárias ao manejo dos seus assuntos materiais de um modo eficiente, chame o Rei de Ouros. Aceite os desafios do mundo material sabendo que, se trabalhar, irá conquistá-los. Dê seu tempo e seus recursos com generosidade, pois ao dar, geralmente recebemos muito mais. Quando aparecer o Rei de Ouros, deve saber que já alcançou o ápice dos seus lucros, e que já não deve assumir mais riscos. E deixe que o Rei de Ouros o inspire, para que logo possa você inspirar a outros.

Significado: Boa posição nos negócios ou no comércio. Pessoa acomodada, generosa e amigável.
Inverso: Utilização perversa de habilidades e talentos.

Os Arcanos Menores

As Espadas

As Espadas representam o elemento Ar: a mente, as aplicações da lógica, o pensamento, a autoridade e a agressão. Sua energia cria o conhecimento e a sabedoria. As Espadas são as mais distantes do sentido prático da terra, ainda que seja impossível ter pensamentos que não estejam, de alguma forma, baseados na realidade. O Ar é o elemento mais difícil de quantificar e de descobrir, apesar de vivermos imersos nele e o utilizarmos constantemente. É um mistério que retém em si grandes desafios e oferece-nos grandes lições.

Os Arcanos Menores

AS DE ESPADAS

O Ás de Espadas

Em mãos adequadas, a espada é uma arma poderosa, que pode servir às necessidades da justiça e da autoridade, mas tem dois fios e, quando se encontra na posse dos que buscam o mal, seu poder pode chegar a ser totalmente negativo. Todas as cartas de Espadas participam desta dualidade, mas o Ás é particularmente suscetível a ela. É o princípio, a gotícula que influenciará tudo o que segue. Em si mesma, a Espada nunca é positiva nem negativa, é o seu portador quem faz com que seja usada com clareza, certeza e propósito, ou com ódio e agressão. O Ás de Espadas mostra o início de uma situação cujo potencial, como a mesma espada, tem dois lados. Existe nela um grande poder,

algumas vezes, inclusive, excessivo, tanto no amor como no ódio. E esse poder pode ser utilizado para atingir as metas de uma pessoa, independentemente de quais sejam elas. Quaisquer que sejam as metas, se os intentos para alcançá-las estão assinalados pelo Ás de Espadas, poucas coisas poderão interpor-se ante esta energia, sem que sejam destruídas. A força do Ás de Espadas pode ser invocada por quem quer que seja com um coração suficientemente forte. Não podemos nos esquecer que força e pureza nem sempre andam de mãos dadas. As armas costumam ser usadas muito mais pelos injustos e pelos violentos do que por gente de bem; por eles, as Espadas costumam indicar duelos e crises. Entretanto, em si, o Ás de Espadas não mostra triunfo, nem derrota, ainda que possua o potencial para ambos. Tudo depende de quem a maneja. Suas ações decidirão qual será o resultado. É freqüente que o Ás de Espadas represente uma primeira intuição ou um início no mundo espiritual. Sob a influência desta carta, pode-se alcançar a mais lúcida compreensão e o mais elevado raciocínio a tempo para que o êxito de qualquer meta se torne muito fácil. Se lhe aparece o Ás de Espadas, poderá libertar-se das brumas que o impediam de ver a verdade interior e poderá cortar os laços que o mantinham atado ao passado. É chegado o momento de agir e, se você decide atingir suas metas, conseguirá qualquer coisa que deseje. Contudo, tenha cuidado, não vá cortar-se com seu fio duplo.

Significado: Faça planos a largo prazo. As sementes do êxito que semeia agora deixarão raízes.

Inverso: Cuidado, não é momento de pressionar muito para alcançar o que deseja. Antes de seguir adiante, comprove se tudo está bem. Talvez surjam obstáculos. É importante planejar tudo antecipadamente.

Os Arcanos Menores

O Dois de Espadas

O Dois de Espadas expressa um conflito entre duas forças equivalentes, nenhuma das quais tendo uma clara vantagem sobre a outra. Estas forças podem tomar muitas formas: negativas contra positivas, o impulso de agir contra o desejo de permanecer em silêncio, saber o que tem de fazer contra realmente fazê-lo. É um tipo de conflito que não se resolve com facilidade e que pode criar longos períodos de confusão e estancamento. Quer dizer, há paz, mas uma paz pouco aproveitável. Tal como se apresenta na carta, as duas espadas estão cruzadas frente ao coração da mulher, pelo que é freqüente que a carta indique um coração fechado por uma barreira que erigimos para proteger-nos contra o que percebemos como perigo. Neste caso, as espadas não são forças opostas uma a outra, mas forças aliadas em defesa do que devem guardar. Se esta barreira se rompesse de repente, seria doloroso. Não obstante, se a barreira permanece, a tensão será cada vez maior, até que chegue o momento em que esta mesma tensão termine por destruir-se. Se se referir a uma relação, o Dois de Espadas mostra este tipo de barreiras entre duas pessoas. Às vezes, apenas uma delas é a responsável, mas, na maioria dos casos, a culpa é de ambos. É um círculo vicioso. Um dos componentes do par nega-se a contar um segredo e permanece na defensiva, o outro se sente ferido e adota também uma posição de defesa. Esta situação continua até que a situação se rompe ou se libera a tensão. A tensão, contudo, nunca se libera aumentando a defesa. Estas barreiras devem ser desmontadas peça por peça, e às vezes, é muito doloroso fazer isto. Normalmente, o Dois de Espadas representa uma situação para a qual há uma solução, mas a pessoa ou as pessoas envolvidas negam-se a vê-la. Esta carta revela um destes momentos em que, deliberadamente, nos recusamos a ver a verdade. Talvez nos neguemos a admitir que estávamos equivocados e tenhamos preferido a escuridão do erro antes da luz da verdade. É melhor, porém, estar cego pela luz do que pela escuridão.

Significado: Indecisão na hora de definir opções.
Inverso: Pense bem antes de decidir-se por algo. Assegure-se de que está tratando com a pessoa adequada.

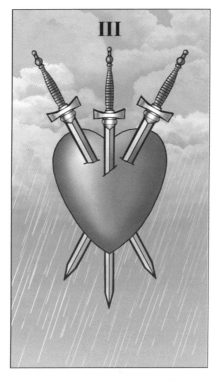

O Três de Espadas

O simbolismo do Três de Espadas é simples, porém poderoso e praticamente universal. Três espadas atravessam um coração, símbolo da emoção, indicando-nos o poder da lógica para ferir o corpo físico e as emoções da pessoa. Muitos não gostam desta carta, por um conteúdo de sofrimento e dor, porém todas as cartas de Espadas contêm uma lição para nos ensinar e, entre elas, também o Três de Espadas. As coisas que podem ferir o coração humano são muitas certamente: palavras, gestos, costas voltadas, um ouvido surdo etc. O Três de Espadas é uma pedra negra que tem muitas facetas, nenhuma delas especialmente agradável, entre as quais estão a recusa, a tristeza, a solidão, a

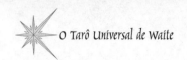

traição, a separação e o duelo. Estes fatos costumam ser muito dolorosos, porque se apresentam sem avisar. O Três de Espadas é uma indicação de que um ou mais de um possa se apresentar. Se estiver preparado, o golpe emocional será muito menor, inclusive, talvez se possa anular por completo, mas esta não é a lição que se há de aprender. Por mais terrível que possa parecer, a dor, às vezes, é necessária em nossas vidas e, se não existisse a dor, não existiria desafio algum e a vida finalmente careceria de sentido. A dor é o grande estímulo, porque nos anima a vencer os obstáculos e a seguir com nossa vida. Estes desafios são oportunidades para aprender com nossos erros e para crescer mais fortes do que antes, através dos seus ensinamentos. Talvez, durante certo tempo, a dor nos embace a visão, mas finalmente nos permitirá ver com claridade e deixar o passado atrás. A vida continua. Se você puder começar a ver a dor como uma oportunidade para crescer e aprender, a vida logo se tornará muito menos dolorosa. Os desafios continuarão se apresentando, mas se já não os vê como algo negativo e mau, perderão grande parte do seu impacto e da sua potência. Quando aparece o Três de Espadas e ele não está relacionado com um acontecimento especial, é para dizer-nos que possuímos a capacidade suficiente para vencer a dor que se apresenta em nossa vida, e a forma de fazê-lo é ver a maneira como esta dor nos ajuda a crescer. Se uma pessoa traiu-nos e pensamos que nunca mais voltaremos a amar, desafie abertamente esta crença. Muito rápido será capaz de amar novamente, inclusive muito mais do que antes.

Significado: Custa-lhe muito entender porque deve sofrer tanto. Lágrimas. Dor. Talvez um aborto. Separação do ser ou dos seres amados.
Inverso: Pequenas brigas podem levar a desgostos sérios. Alguém tem que começar pedindo perdão. Mais vale que seja você.

Os Arcanos Menores

O Quatro de Espadas

A serenidade do Quatro de Espadas parece um pouco fora de lugar, no meio de tanto sofrimento e obstáculo. O Quatro de Espadas indica um período de descanso e de recuperação depois de uma época de problemas. Talvez o único desfio que nos proponha, seja permanecer em calma. Este descanso deve ser utilizado sabiamente para curar o corpo e preparar a mente para a próxima batalha. O poder das Espadas pode ser usado, tanto para curar como para ferir, assim, que utilizemos este poder para acalmar nossas feridas e despojar a mente de confusão e de dúvidas. Deixe seus problemas por um momento, não se preocupe com eles, continuarão aí quando você regressar.

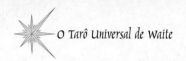

A aparição do Quatro de Espadas indica que você pode cessar de preocupar-se, baixar a guarda e descansar. No momento, há uma trégua, pode recuperar o alento e atacar de novo, mas tenha em conta que uma trégua não é a paz. Os perigos voltarão tão logo que você estiver pronto para enfrentá-los de novo. Por isso, aproveite ao máximo a paz e a tranqüilidade atual, mas não perca de vista o fato de que a batalha não terminou, e que há, ainda, muito trabalho a fazer, antes que passe a tormenta. O Quatro de Espadas é como o olho de um furacão, é um momento de paz e tranqüilidade em meio a uma grande destruição e uma grande luta. Quando o olho do furacão passar, voltarão os fortes ventos e a chuva intensa. Ao menos, porém, você já sabe que chegou até a metade, e, portanto poderá suportar também o resto que ficou. Desfrute da sua sorte e desfrute da paz em que neste momento se encontra, mas esteja pronto para pegar as armas quando voltar a tormenta.

Significado: Tem que se preparar, pois as coisas estão mudando. Planeje com antecedência. Pode indicar um período de convalescença. A situação melhorará.

Inverso: Assegure-se bem, antes de comprometer-se. Inquietude no trabalho.

Os Arcanos Menores

O Cinco de Espadas

Depois da tranqüilidade e da calma com o Quatro de Espadas, encontramo-nos de novo em meio ao conflito, com o Cinco de Espadas. Vemos nesta carta um homem vitorioso e seus dois oponentes vencidos, com o que novamente nos deparamos com a dualidade típica das Espadas. Quando esta carta aparece, costuma significar que você foi vencido por um oponente mais hábil; não obstante, também pode indicar que é você quem venceu seus oponentes, com o uso da sua mente. Se a vitória foi ética ou não, é algo que está para ser verificado. Voltemos, porém, ao tema da derrota, que é o principal significado do Cinco de Espadas. Costuma indicar que, apesar de todos os seus esforços,

seguramente você vai ser vencido. De fato, esta carta não apenas trata da derrota, mas da conseqüente frustração. Se você se permite desiludir-se por causa dela, maiores ruínas estarão rapidamente em seu caminho. Aceite a derrota, aprenda com ela e logo vá novamente em busca do êxito. Quando aparecer esta carta e você se sentir que, nesta ocasião, é o vencedor, há uma importante advertência que deve levar em conta. Após uma vitória difícil como esta, é fácil deixar-se levar pela arrogância e pelo orgulho. Baixo nenhum aspecto você deve crer-se invencível. Tendo vencido um obstáculo, você está no seu direito de sentir-se orgulhoso, mas saiba que há outras forças com que vai ter que lutar, e algumas delas, sem dúvida, o vencerão. Crer-se invencível é instigar a que alguém lhe demonstre que está equivocado. E se a sua vitória foi conseguida com enganos ou métodos pouco éticos, deverá aguardar uma tentativa de vingança. A carta do *Tarô Universal de Waite* mostra um homem com duas espadas que jazem a seus pés, aparentemente são os despojos da sua vitória. Talvez, porém, seus dois oponentes não tenham sido vencidos, mas que simplesmente depuseram suas armas e partiram. Talvez porque soubessem que iam perder ou talvez porque não tinham vontade de lutar. Assim sendo, eles são os verdadeiros vencedores, pois escolheram não lutar. Quem sabe quando deve lutar e quando não é o verdadeiro vencedor.

Significado: Falta de sensibilidade. Interesse apenas nos próprios assuntos.
Inverso: Intriga e decepção. Ação ou decisão injusta, difícil de corrigir.

Os Arcanos Menores

O Seis de Espadas

A segunda lição que nos ensina o Cinco de Espadas nos é apresentada agora, novamente, pelo Seis de Espadas. Algumas vezes, a melhor maneira de solucionar os problemas da vida é deixá-los estar, ir a outro lugar e começar de novo. Ainda que tal retirada possa parecer covarde e inclusive ilógica, algumas vezes é a única possibilidade que nos resta, quando todas as demais falharam. Após muito conflito e confusão, o Seis de Espadas talvez seja a única maneira de escaparmos das turbulentas águas das suas emoções, deixando-as atrás. O simbolismo náutico do Seis de Espadas indica-nos que não apenas é o momento de fugirmos dos problemas, mas também de iniciarmos um novo

rumo que nos conduza à felicidade e à glória. A claridade mental das Espadas aconselha-nos a necessidade de lançar um olhar ao local em que estávamos e também para aquele aonde vamos agora. Esta claridade mental também tornará mais fácil a partida, fazendo que o passo do negativo ao positivo seja o mais tranqüilo possível. Não há nenhuma tormenta à vista que possa dificultar seu progresso. O simbolismo das espadas travadas na barca indica-nos o poder da mente racional sobre o coração e sobre a intuição, mas não do mesmo modo como fez o Três de Espadas. Naquela carta, o controle era violento e brutal, enquanto que nesta, é mais passivo e algumas vezes, inclusive, bem recebido, após algum conflito emocional. Apesar de o Seis parecer implicar sempre um ambiente de tristeza e depressão, neste caso, a passagem de uma situação negativa a outra mais positiva, deve ser visto como um motivo de alegria e de celebração. O caminho para o futuro só é doloroso quando nos empenhamos em aferrarmo-nos ao passado. Em lugar de governar as emoções, o Seis de Espadas realmente nos oferece um equilíbrio muito controlado entre a lógica e a intuição. E assim é como surge a verdadeira claridade mental. Podemos usar a intuição para que nos guie em certas situações, recorrendo à nossa natureza analítica e imparcial, quando houver necessidade de tomar decisões que assim o requeiram. Não devemos tratar de suprimir as emoções, mas respeitar sua presença e seu poder e utilizá-las em nosso benefício. Apenas quando conseguirmos o equilíbrio entre o coração e a mente, seremos capazes de realizar coisas verdadeiramente grandes.

Significado: Termina um período de atribulações. Possível viagem. Situação desagradável no trabalho.
Inverso: Viagem adiada. Deve buscar o guia em seu interior. Pense cuidadosamente antes de agir.

Os Arcanos Menores

O Sete de Espadas

Roubar sempre é arriscado, mas roubar a quem possui os meios e os motivos para castigar-nos, como ocorre com os habitantes do quartel militar que aparece no Sete de Espadas, é quase demencial. Este atrevimento e esta confiança são dois dos indicadores do Sete de Espadas. Às vezes, o engano e a diplomacia podem obter resultados que a força bruta nunca conseguiria. Como todas as Espadas, porém, esta carta tem dois fios, o que implica que você possa ser tanto a causa como a vítima do dito engano! Quer seja esperado ou não, o Sete de Espadas habitualmente se refere a planos nos quais o engano é um fator chave. É a carta dos ladrões, dos trapaceiros e dos que se servem da

sua habilidade para enganar. São pessoas que costumam trabalhar sós, temendo que a incompetência dos outros os prejudique, porque costumam desenvolver uma certa personalidade como de "lobo solitário", que pode chegar a ser bastante negativo. Curiosamente, vemos que o homem que aparece na carta não pode carregar todas as espadas, devendo deixar duas atrás de si, com o que sua vitória deixa de ser completa, apesar de que, aparentemente, tenha tido sucesso. Nem sempre é assim. O Sete de Espadas, com freqüência, prediz ou indica uma perda devida a um engano. Talvez outra pessoa arrebata com ilusões nossa bem merecida vitória ou, quem sabe, sejamos nós mesmos os perpetradores do engano. O outro significado do Sete de Espadas não tem nada a ver com outras pessoas. É a indecisão. Quando, para atingir nossos fins, recorremos às práticas proibidas, todo nosso sistema de valores cambaleia. Algo em nosso interior duvida e está indeciso. Finalmente, para conseguir livrar-se da dita indecisão, terá que terminar revisando o sistema de valores ou os métodos. A máxima de que o fim justifica os meios não é aceitável.

Significado: Seus planos não vão dar resultado ou não estão resultando como esperava. Má sorte.

Inverso: A situação não é tão ruim como imagina. Não permita que falsos orgulhos o ceguem.

O Oito de Espadas

O Oito de Espadas mostra o que acontece quando se abusa do poder das Espadas: ele se volta contra nós. Na maioria das ocasiões, o resultado é o Oito de Espadas e sua precária posição. A claridade mental é substituída pela cegueira, os braços estão atados e nos sentimos incapazes de sair da situação. E, se procuramos movimentar-nos, possivelmente cairemos transpassados no círculo de espadas. Não é fácil escapar da lógica mental, mas alguém que saiba como usar as Espadas em seu benefício poderá consegui-lo. Normalmente, esta carta indica um tempo de restrição que às vezes é auto-imposta. Talvez, se você está retraindo-se porque receia avançar para o futuro ou porque

teme sair ferido de uma situação nova ou então por nenhum motivo em particular; também poderia ser que em raras ocasiões fossem as ações - ou a falta delas - de outra pessoa que o impedissem de prosseguir, mas, na maioria das vezes, a culpa não é mais que de você mesmo. Nunca nos detemos, se uma parte de você mesmo não deseja, ninguém pode fazê-lo. O truque é encontrar a forma de vencer e libertar-nos das ataduras do medo e da dúvida. Quando aparece o Oito de Espadas, seu propósito sempre é mostrar-lhe como escapar desta situação de uma forma tão rápida como entrou nela. Fixe-se na carta. Os pés da mulher não estão atados. Se ela assim o decidisse, poderia caminhar até a espada mais próxima e com ela cortar as cordas que lhe mantêm os braços unidos às costas. No momento não está fazendo nada, porque o mesmo medo que a levou à sua presente situação é o que a está impedindo de escapar. Por mais difícil que seja a situação, o Oito de Espadas diz que sempre há uma saída. Talvez você não a creia possível ou não possa acreditar que exista, mas a saída está aí, esperando que você a use. A chave é deixar de utilizar as Espadas para propósitos negativos. O ódio, a agressão, a força excessiva tão somente piorarão tudo. Deixe-os que se vão e aceite a claridade e a paz mental personalizadas pelas Espadas. Com esta nova visão, você captará facilmente onde está a saída para qualquer problema que se lhe apresente.

Significado: Incapacidade para pensar com clareza. As preocupações contínuas podem criar enfermidades. Talvez seja tempo de procurar ajuda.
Inverso: Toda a sua tensão e seus medos terminarão logo. A pressão diminuirá.

Os Arcanos Menores

O Nove de Espadas

A noite pode deparar-nos com os maiores terrores, como o pesadelo que aterroriza a mulher que aparece nesta carta. O Nove de Espadas indica ansiedade, remorso e todos os sentimentos negativos que nos fazem dar voltas na cama durante a noite, temendo fechar os olhos e dormir de novo. Enquanto a dor do Três de Espadas era causada por um sentimento externo, o Nove personifica o reino da angústia interior, do qual, normalmente, é mais difícil fugir. Não é uma carta agradável, pois geralmente indica uma dor interna, emocional, que se nega a deixar-nos. Pode ser um sentimento de culpa ou um remorso; em ambos os casos, alguém quis poder voltar no tempo e mudar o

que fizera naquele momento, mas já não é possível. O mais doloroso é saber que a culpa foi nossa e que já não podemos fazer nada a respeito. Tão somente aceitando nossa responsabilidade podemos esperar vencer esta angústia, pois, na maioria dos casos, submeter-se à dor é pior que tratar de combatê-la. O medo e a apreensão costumam ser como lentes que distorcem os problemas que realmente existem em nosso interior. Fazem-nos ver coisas que não existem, aumentam outras que não são tão terríveis, e fazem com que uma simples sombra nos assuste. Na carta do *Tarô Universal de Waite*, vemos que tão somente três das espadas passam próximas à cabeça da mulher, as outras não supõem ameaça alguma. Na maioria dos casos, o Nove de Espadas não mostra a situação, tal como é na atualidade, mas como será, se o estado de coisas e nossa presente atitude continuarem. Indica-nos que há um ponto em nossa vida que é vulnerável e que pode facilmente ser atacado por qualquer que seja das nove espadas, por isso, a primeira coisa que devemos fazer é deixar de ver problemas onde não há. Então poderemos observar com calma a realidade, os problemas reais, e poderemos abordá-los antes que causem um dano verdadeiro. E isto é possível. A grandes males, grandes remédios. Você tem poder suficiente para enfrentar seus medos e poder destruí-los.

Significado: Pode indicar uma enfermidade grave ou uma operação. Infelicidade inconsolável. Circunstâncias tristes.
Inverso: Logo receberá boas notícias. Não apresse as coisas, tenha paciência.

Os Arcanos Menores

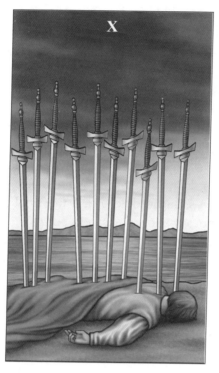

O Dez de Espadas

Esta carta é a manifestação final do poder destrutivo e negativo das Espadas. Ainda que para matar esta pessoa fosse suficiente uma só espada, foram utilizadas dez. O Ás de Espadas já nos avisava dos perigos de utilizar a força excessiva, e o Dez é o resultado inevitável do chamado abuso de poder. Aqueles que se negam a ouvir a sabedoria das Espadas, finalmente serão destruídos por elas. Geralmente, esta carta nos indica um fracasso ou desastre repentino, um poder mais além de todo controle que nos golpeia sem piedade e sem aviso prévio. A Lei do Carma rege totalmente o Dez de Espadas, assim, uma ação má do passado pode ser conseqüência de problemas futuros. Em

algumas ocasiões, seremos capazes de modificar o resultado, mas o normal é que devamos aceitá-lo. O lado positivo é que o Dez de Espadas já é o final do Calvário. Não haverá novas dores, nem mais desastres.

O momento mais escuro da noite ocorre sempre um pouco antes do amanhecer e, em breve, novamente brilhará o sol. Todo fracasso traz, no seu interior, a semente de uma futura vitória,e a verdadeira iluminação surge de usar para o bem nosso poder mental e espiritual. Esta é a verdadeira lição das Espadas, sendo o Dez o definitivo Mestre. Quando esta carta aparece depois de uma situação dolorosa, é um sinal para que nos remontemos ao passado, começando por reconsiderar tudo o que nos ocorreu e vendo o que podemos aprender disto. E esta é, precisamente, a mensagem mais importante do Dez de Espadas: analisar os feitos e deles aprender. A verdadeira sabedoria nunca vem de fora, apenas do nosso interior. O Dez de Espadas indica-nos que tudo aquilo pelo que passamos tinha um propósito. Havemos de aprender com a nossa dor e tirar sabedoria dos nossos fracassos. Este é o ideal das Espadas.

Significado: Perda de trabalho ou de posição social, talvez por motivos legais.
Inverso: A lição cármica já se completou. Tanto a situação econômica como a saúde melhoraram.

VALETE DE ESPADAS

O Valete de Espadas

O Valete de Espadas tem a mentalidade e a filosofia de um menino, e está constantemente fascinado pelas coisas da mente, mas não quer dizer isto que seja infantil, nem imaturo; de fato, é o mais amadurecido e o mais desenvolvido mentalmente dos quatro valetes. Talvez você não use, neste momento, todo o seu potencial, mas sabe como utilizar o que descobriu de uma forma muito efetiva. Assim como os outros valetes, o Valete de Espadas pode manifestar-se em sua vida como um acontecimento, como uma pessoa ou como uma parte de você mesmo que deve despertar.

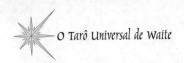

Como acontecimento, o Valete de Espadas tem a ver com a intuição, com a percepção e o uso dos poderes mentais. Por sua associação com a sutileza e a espionagem, o Valete de Espadas pode indicar o princípio de um ato de espionagem, ou melhor, o descobrimento de um espião. Aqui, a palavra "espião" pode ter muitos significados, pode ser alguém interessado em você ou em outra pessoa, alguém que esteja investigando algo ou alguém que esteja reunindo informação; pode ser também, ainda que em ocasiões raras, alguém que deseja causar dano a outra pessoa. Entretanto, considerando que o Valete personifica o lado mais positivo das Espadas, esta última interpretação é muito pouco freqüente, podendo, na maioria dos casos, ser descartada. A pessoa representada pelo Valete de Espadas tem um bom equilíbrio entre o coração e a mente. Não é guiado pelas suas emoções, mas tampouco tem que se deter a pensar em cada decisão que toma. É o embaixador ou o emissário ideal, pois capta e aproveita todas as oportunidades que se apresentam. Adapta-se com facilidade às circunstâncias cambiantes e é dotado de uma grande eloqüência. Ao contrário do que ocorre com as figuras de Espadas, de mais idade, o Valete sempre expressa seus verdadeiros sentimentos, ainda que, caso deseje, pode ocultar suas verdadeiras intenções. Quando decide deixar de lado a diplomacia e chamar as coisas por seus nomes, devemos preparar-nos para confrontar abertamente a realidade. Despertar estas qualidades em nós mesmos pode ser muito positivo, pois este Valete utiliza sua espada para chegar ao miolo de qualquer assunto, eliminando tudo aquilo que possa distrair-nos ou extraviar-nos. Sua aparição pode indicar um desafio, o desafio a que abramos nossas mentes e consideremos as coisas de um modo diferente do que havíamos feito até agora. Se anteriormente não havíamos sido capazes de captar todos os aspectos de uma determinada situação, o Valete de Espadas nos mostrará como fazê-lo e nos ajudará a perceber o menos evidente. Ele permitirá entender com mais profundidade o problema que

Os Arcanos Menores

está enfrentando e, ao compreender o processo, com freqüência, aparecerá alguma solução. Amplie sua mente, aprenda a fazer coisas novas e divirta-se fazendo-as. Resumindo, procure a verdade, apesar das conseqüências que ela possa trazer, e trate de utilizar a valiosa ferramenta que é a sua mente.

Significado: Um jovem, rapaz ou moça, com as características mencionadas poderá causar-lhe preocupação. Notícias, talvez, decepcionantes.

Inverso: Deve analisar melhor a situação. Talvez alguém do seu meio esteja enfermo.

Os Arcanos Menores

CAVALEIRO DE ESPADAS

O Cavaleiro de Espadas

Quando a diplomacia do Valete de Espadas não consegue nenhum resultado, o Cavaleiro de Espadas a tentará, à sua maneira, muito mais violenta. Aqui, a palavra violência não se refere à brutalidade física, mas a uma certa brusquidão e a uma aparente hostilidade. O Cavaleiro de Espadas representa a essência do elemento Ar, algo quase totalmente alheio ao reino das emoções, portanto, a relação com ele deve ser entendida desta maneira. Pode manifestar-se nas três formas usuais: como um acontecimento, como uma pessoa ou como uma parte de você mesmo. Não é comum que o Cavaleiro de Espadas represente um acontecimento, e, quando ocorre, pode indicar a chegada

ou a partida súbita e inesperada de algum assunto ou de alguma pessoa. Levando em conta a relação que costuma existir entre as Espadas e a política, poderia indicar o desaparecimento de um líder político ou o começo de uma nova campanha. Também pode representar o começo ou o final de um conflito que, normalmente, não é físico. Não é comum que esta carta indique o começo de uma guerra, mas a possibilidade existe. A pessoa representada pelo Cavaleiro de Espadas age sem emoções. Não é que não as tenha, mas não as leva em conta e não lhes confere nenhum valor. O coração é a sede da compaixão, mas também do medo, e o Cavaleiro de Espadas não conhece o medo e nunca pensa na derrota. Considera-se invencível e, ainda que isto possa ser negativo, o fato é que lhe proporciona uma confiança tal que o faz vencer onde todos os outros fracassariam. Considerando que nunca duvida de si mesmo, nem da sua capacidade, é a pessoa perfeita para levar adiante novas idéias, tarefa a que outros não se atreveriam. Por mais perigoso que possa parecer assumir a personalidade do Cavaleiro de Espadas, algumas vezes torna-se conveniente e necessário. Quando você se sentir temeroso ou indeciso, invoque o Cavaleiro de Espadas para que lhe dê um pouco de confiança e claridade. Na hora de tomar uma decisão difícil, sua imparcialidade é muito desejável. Sua negação a aceitar o medo converte-o num sólido pilar, mas há que considerar, também, suas qualidades negativas, que ele as tem para que não se saia do controle.

Significado: Pessoa com as características indicadas. Alguém que venha ajudá-lo. Talvez você esteja passando por um período difícil.

Inverso: Alguém que se opõe a seus planos ou aos seus pensamentos. Não é bom momento para começar coisas novas, nem para mudar de estilo de vida.

Os Arcanos Menores

RAINHA DE ESPADAS

A Rainha de Espadas

A Rainha de Espadas é uma dessas cartas misteriosas, nas quais o masculino e o feminino parecem estar em conflito. Nunca mostra seu lado emocional, mas seus juízos podem estar influenciados pelo seu coração e, precisamente, por este motivo não é um juiz confiável. Geralmente, a Rainha de Espadas representa alguma das pessoas que têm relação com você. Costuma ser perceptiva e intuitiva, pois possui tanto as qualidades intuitivas do elemento Água, como a claridade mental das Espadas, o que lhe permite captar diretamente qualquer situação até o fundo, sem ver-se afetada pelas ilusões que extraviariam outros. Numa discussão, compreende sempre ambas as partes e, aqueles que

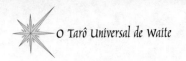

tratam de enganá-la, levarão uma surpresa desagradável, pois saborearão a lâmina fria da sua espada. O lado negativo da Rainha de Espadas é conseqüência da sua sinceridade e do seu amor pela verdade. Uma vez que ela captou totalmente uma dada situação, mostra abertamente sua opinião a todos os envolvidos, e pobre daquele que não esteja de acordo! Sua mente é tão, afiada como uma faca e, com ela, corta qualquer mentira. É uma figura que costuma ter poucos amigos e pode utilizar seu humor para impedir que os demais captem sua amargura interna e sua insatisfação. Na realidade, todos temos um pouco de Rainha de Espadas, certamente alguns mais do que outros. Quando existirem possibilidades de engano, sua habilidade para perceber a verdade pode ser muito útil. Invocar os poderes da Rainha de Espadas nos permitirá ver o que há de oculto, se é que existe algo. Ela considera que as experiências desagradáveis são as que mais nos ensinam, e aprende algo de todos com os quais se encontra, ao mesmo tempo em que tais pessoas sempre saem um pouco mais sábias do seu encontro com a Rainha de Espadas, sejam ou não conscientes disto.

Significado: Mulher madura com as características citadas. Dificuldades param atender as muitas obrigações que você tem.

Inverso: Mulher aficionada às intrigas. Sua percepção é clara, mas gosta de enganar os demais. Não confie nela.

REI DE ESPADAS

O Rei de Espadas

O Rei de Espadas, o mais justo de todos os juízes, pois é capaz de considerar qualquer situação com total imparcialidade e tomar uma decisão que seja, por sua vez, justa e adequada. Possui emoções muito mais poderosas do que todas as figuras de Espadas, mas as mantém sob controle e as utiliza somente para os melhores propósitos. O Rei de Espadas costuma representar uma figura proeminente no governo, na administração ou na justiça. Geralmente, é outra pessoa, apesar de que também possa ser uma parte de nós mesmos que deve manifestar-se. É uma pessoa com os modelos éticos mais elevados e totalmente incorruptíveis. Um sólido pilar que dá conselhos justos

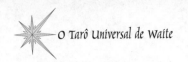

a todos, qualquer que seja o assunto. Ainda que de uma forma distinta do Rei de Paus, o Rei de Espadas também é um líder. Seu estilo é mais o de um general que o de um governante. Não inspira seu povo, a ele ordena e é obedecido, porque confiam nele. Quase sempre suas decisões são as corretas, pois sempre capta o quadro completo e não deixa que suas emoções interfiram em seu julgamento. Ainda que nem sempre beneficiem a ele diretamente, suas decisões são as melhores para todos os implicados. Não é um líder passivo que se senta e dá ordens, sem fazer nada mais. Todos os generais foram antes soldados e o Rei de Espadas não é a exceção. É muito ativo e, quando o crê necessário, sua espada é a que verte o primeiro sangue. É intolerante com aqueles que não cumprem a lei, ou melhor, sua lei, e seus castigos são rápidos e severos. Não tem compaixão pelos demais nem se preocupa pelo seu bem-estar. Não os dirige porque quer fazê-lo, mas simplesmente porque pode. Quando esta parte de você mesmo começa a manifestar-se, rapidamente você o saberá. A chegada do Rei de Espadas nunca deixa de ser notada por todos, e costuma aparecer quando seu juízo frio e imparcial é necessário para resolver algum problema. Então, durante um momento, temos as idéias claras e vemos tudo sob uma luz diferente. Problemas que antes pareciam de difícil solução, é possível que, diante da presença do Rei de Espadas, se resolvam por si mesmos. Ele julga com justiça, diz a verdade e nunca renuncia a seus princípios éticos.

Significado: Homem maduro pode confiar nele e seguir seus conselhos.
Inverso: Pode representar um pai, marido ou sócio extremamente severo. Injustiça.

Os Arcanos Menores

Os Paus

Os Paus representam o elemento Fogo: energia, criatividade, crescimento, glória, empreitada, inspiração e espírito. Geram energia construtiva, tanto para finalidades práticas como espirituais. Sua fogosa energia acrescenta paixão a qualquer situação dada, gerando assim, novas criações, novas idéias e produzindo uma certa aceleração no desenvolvimento dos fatos. Também gera competência, apesar de os Paus não terem nenhuma relação direta com os extremos emocionais de amor e ódio. E também representam transformações, especialmente o Ás de Paus.

Os Arcanos Menores

O Ás de Paus

O Ás de Paus é o impulso inicial de criatividade que lança qualquer projeto e que leva as pessoas até o topo. É a faísca de onde surge o fogo e, ainda que realmente não saibamos se tal fogo se irromperá ou se apagará, o poder dessa chispa é enorme. É a tocha que nos guia em nossa via para a felicidade. A tocha não nos indicará o caminho a seguir, mas sim, iluminará qualquer que seja o que tenhamos escolhido. É uma carta boa quando estamos considerando iniciar algum novo projeto que requeira rapidez e decisão. Indica-nos que agora é o momento adequado para agir, se queremos lograr o êxito desejado. Indica que possuímos a capacidade e as habilidades necessárias para

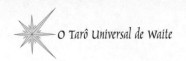

começar tal aventura e o potencial que faz falta para levá-la até o fim. Além de aventuras no mundo material, o Ás de Paus pode referir-se também a uma gravidez ou ao nascimento de uma criança; sendo esta a demonstração suprema do poder criativo, está também regida pelos Paus. Os Paus representam também saúde e vitalidade, e a aparição do Ás de Paus geralmente traz consigo uma onda de força e de iniciativa. É possível que antigas enfermidades simplesmente se dissipem ante sua presença, e a força que nos advém desta presença deve ser usada imediatamente. Se persistir algo que não nos atrevíamos a fazer ou tínhamos dúvidas a respeito, agora é o momento de executá-lo. Veremos que, com a energia apresentada pelo Ás de Paus, tudo é muito mais fácil. O aspecto menos favorável do Ás de Paus é que tal energia é imprescindível e, na realidade, não pode ser controlada. Como é natural ocorrer com o elemento Fogo, a energia do Ás de Paus algumas vezes pode ser utilizada em nosso benefício, mas noutras, transborda-se incontrolavelmente. E não se pode invocar por meios mágicos. Tem-se ou não. Quando aparecer o Ás de Paus na sua vida, utilize a oportunidade e aplique sua energia para seu máximo aproveitamento. Nesse momento poderá conseguir qualquer coisa que deseje.

Significado: Princípio de algo novo. Pode ser trabalho, negócio ou assunto social. Talvez um nascimento na família. Aceite qualquer convite que lhe chegue nestes dias.
Inverso: Falta de iniciativa, esforço insuficiente. Convém, talvez, atrasar ou cancelar seus planos temporariamente.

Os Arcanos Menores

O Dois de Paus

Quando a força do Ás de Paus chega em nossas vidas, deve ser modulada e dirigida até a zona onde mais utilidades possa ter. E isto é o que representa o Dois de Paus, a carta da força ou da energia aplicada. É o momento em que começa a tomar forma a visão do destino final e, ainda que essa primeira impressão possa ser incorreta, ela nos é importante neste momento. Mais adiante, haverá tempo suficiente para corrigir o rumo, se vemos que não tomamos exatamente a direção que desejávamos. O importante agora é começarmos a mover-nos em direção às nossas metas, quaisquer que sejam elas. Esta carta representa o poder de realizar grandes coisas neste mundo. Sem esta visão

O Tarô Universal de Waite

inicial, não pode haver êxito, e sem a decisão de seguir adiante, tampouco se pode chegar à meta. O Dois de Paus representa esta decisão de sair para o mundo e de lograr êxito. É um pouco como o poder do Mago, por isto suas cores se assemelham. A energia do Dois de Paus é a mesma que a do Mago, ainda que num nível mais manipulável. Quando esta energia chegar em sua vida, sentirá que é capaz de fazer com que seus sonhos se tornem realidade, e de lograr suas mais elevadas ambições. Este é o tempo de compreender como, a cada momento de nossas vidas, vamos criando nossa própria realidade e, também, como podemos servir-nos disto em nosso próprio benefício. Quando esta energia está sob nosso controle, nossa decisão é ilimitada, pelo que, podemos sair pelo o mundo e mostrar nossa força a qualquer um. Todos os números dois têm a ver com algum tipo de união, assim, o Dois de Paus indica um bom momento para as amizades, ainda que se deva ter muito cuidado com qualquer relação, onde todo o poder está nas mãos de uma pessoa. O Dois de Paus também nos lembra que, na realidade, sempre temos o controle de nossas vidas e que, apesar de que, de vez em quando, alguns acontecimentos nos surpreendam, o controle ainda está em nossas mãos. Por isso é tão importante planejar de antemão e saber qual é a meta, antes de iniciar o caminho. A indecisão e as dúvidas aqui são muito perniciosas. Afortunadamente, esta carta nos dá a energia necessária para decidir. Você merece ser o criador e ser aquele que governa sua própria vida. Permita que o poder que reside no seu interior se manifeste e se surpreenderá com as coisas que pode lograr.

Significado: Grande capacidade e intuição. O futuro parece brilhante. Persevere e terá êxito. Contrato ou transação importante.
Inverso: Necessita organizar e ordenar sua vida pessoal. Não permita que ninguém lhe imponha sua forma de pensar.

Os Arcanos Menores

O Três de Paus

Curiosamente, o Três de Paus tem três possíveis interpretações, cada uma delas independente das demais, mas por sua vez, todas relacionadas de algum modo. A primeira delas é o estabelecimento da força após certas dificuldades e problemas iniciais, e o êxito depois de superadas as mesmas. A segunda é sociedade e trabalho em equipe, especialmente liderança em assuntos de criatividade. E finalmente, esta carta também tem a ver com virtude pessoal e o respeito consigo mesmo. Indica que, quando parece que não temos ninguém a quem recorrer, sempre podemos recorrer a nós mesmos e nunca vamos falhar. O homem que vemos à margem do precipício simboliza, de algum

modo, os três significados mencionados. Vê-se que sua posição é estável. Está no alto e tem três bastões sólidos para apoiar-se. Os barcos que se vêem na águas são sua própria frota e confirmam sua força. Tudo parece indicar que qualquer ação que se empreenda agora levará a maiores êxitos. O tema da sociedade não é tão evidente na figura do homem solitário, como não é pelo fato de que há dois bastões que sobram, parecendo esperar por outras duas pessoas que o acompanhem no seu caminho ou que o ajudem no seu trabalho. Esta carta indica que não devemos sentir vergonha por pedir ajuda. Devemos sim, sentir por não pedi-la, pois isto poderia indicar covardia. Em algumas ocasiões, a aparição desta carta prediz uma associação de caráter romântico, com sólida base e liberdade de idéias para ambos. E, finalmente, o último significado do Três de Paus, que é o mais potente: este homem viajou só durante uma grande distância e ainda que ele saiba que o futuro trará outro consigo, ninguém pode arrebatar-lhe o fato de ter, ele, sozinho, realizado a viagem. Nossa virtude e nossos ganhos pessoais são algo de que ninguém nos pode arrebatar. Se sabemos o que temos para oferecer ao mundo, é hora de pôr em prática tal faculdade. Não permitamos que o fracasso nos derrube. Aprendamos com cada erro cometido e resgatemos a vitória que se oculta em cada derrota.

Significado: Alguém de confiança lhe dará a ajuda de que necessita. Os negócios vão prosperar. Associação proveitosa.

Inverso: Antes de começar algo novo, assegure-se bem de todos os pormenores. O excessivo orgulho prejudica-o.

Os Arcanos Menores

O Quatro de Paus

A força aplicada do Dois e do Três leva-nos à primeira fase de culminação e de descanso, representada pelo Quatro de Paus. É o momento de olhar para trás, observar tudo o que se levou a cabo e alegrar-se com isto. Para muitos, é uma carta muito positiva, embora exista um conflito entre a expansão dinâmica, representada pelos Paus, e a restrição e as limitações inerentes ao número quatro. Ele nos indica que ainda que se possa desfrutar do êxito, durante certo tempo, não devemos dormir nos louros. Nunca há que deixar de crescer, de aprender, de viver. Esta carta pode sinalizar várias coisas, como o sucesso inicial de um negócio, um bom princípio para algum novo projeto ou o

florescimento de uma amizade ou de uma relação amorosa. Também pode predizer um matrimônio ou o nascimento de uma criança. Junto a tudo isto, está o fato de que o trabalho, no final, sempre rende e o Quatro de Paus é a carta de recompensa para aqueles que trabalharam duro, o que mostra também uma certa relação desta carta com a Justiça. Outra conexão com a Justiça é sua forte associação com a idéia de ordem. O Quatro de Paus representa o transcorrer fácil e natural de uma vida equilibrada e convida-nos a criar esse equilíbrio em nós mesmos. Também define o final de um ciclo e o início do seguinte, quer dizer, de um modo, já se há completado uma meta que se havia estabelecido previamente e, precisamente, o êxito desta meta é o que se está celebrando na imagem do *Tarô Universal de Waite*. A natureza do fogo é mover-se constantemente para novos territórios; não obstante, com o Quatro de Paus, essa urgência criativa parece ter-se apaziguado. Cabe aqui uma chamada de atenção, pois, quando existe êxito sem o impulso para seguir adiante, a situação pode estancar-se ou, inclusive, entrar numa etapa de decadência. É necessário começar a trabalhar e a crescer de novo e para isto pode se utilizar a energia gerada na celebração. Desfrutemos da festa, mas vigiando o relógio, para sairmos quando for o momento.

Significado: Trabalho bem feito. É o momento de desfrutar dos resultados do seu trabalho. Talvez romance à vista, com possibilidades de matrimônio.
Inverso: Seja cuidadoso com sua atitude para as pessoas que ama. Pode perdê-las por não expressar seus sentimentos.

Os Arcanos Menores

O Cinco de Paus

O Cinco de Paus pode representar dois tipos de conflito: um externo e outro interno. O externo costuma apresentar-se na forma de pequenas moléstias ou obstáculos que, individualmente, carecem de importância, mas que no seu conjunto podem chegar a amargar-nos a existência. O conflito interno costuma referir-se a algum tipo de escolha ética em que o coração não está de acordo com a mente ou ambos se encontram em discórdia com a consciência, tentando, cada um deles, impor sua vontade. O Cinco de Paus representa estes momentos em que tudo parece ir mal e que nos estão atacando de todos os lados. Quando esta carta aparece, se o conflito que assinala é externo, podemos esperar, porque diversos problemas que exigirão atenção imediata vão apresentar-se, cada um deles com solução

aparentemente difícil. A cena representada no *Tarô Universal de Waite* mostra cinco jovens golpeando-se com bastões, sem que nenhum deles pareça mais hábil, nem mais importante que os demais. A principal lição do Cinco de Paus é que não devemos ceder à tentação de agir de forma apressada e sem controle. É vital que atuemos com calma e sem vacilar, mas somente após ter estabelecido uma ordem de prioridades. E, no caso de que a batalha seja interna, o enfoque a ser tomado é similar. A estratégia é a chave, pois a energia desta carta é natural, selvagem, sem domesticar. Uma mente clara é o único recurso que nos fará vencer todas estas dificuldades. Devemos buscar a origem desse conflito interno e corrigir as atitudes torcidas que permitiram sua aparição. Enquanto haja culpabilidade, não haverá paz. Nestes casos, o arrependimento e o perdão são armas muito mais poderosas que o mais sólido dos bastões ou a mais afiada das espadas. Todos os Paus têm a ver com a implementação de novas idéias, e esta carta indica um tempo em que essa implementação parece restringida ou bloqueada. O Cinco de Paus também costuma aparecer quando nossas idéias são abertamente desafiadas por pessoas céticas ou que opinam de forma diferente e que talvez queiram que sua vontade prevaleça. Nestes casos, o melhor é ater-nos solidamente à nossa decisão e não deixar que nada, nem ninguém, nos desviem dos nossos objetivos. Se formos capazes de invocar a fogosa energia dos Paus e utilizá-la para propósitos construtivos, no lugar de pelejar e discutir, nada poderá deter-nos e lograremos o êxito. Entretanto, ainda que estejamos a manejar o fogo, especialmente nesta situação representada pelo Cinco de Paus, é importante manter a mente fria.

Significado: Energias opostas criam agitação e inquietude. Excessiva competência gera estresse. A situação exige claridade. Seja firme e faça constar os fatos.
Inverso: Não esteja na defensiva. Aceite e desfrute a generosidade e as atenções que lhe ofereçam.

O Seis de Paus

O Seis de Paus indica-nos que os tempos de pelejas e de competições já foram deixados para trás e podemos desfrutar do mel da vitória. Este é um dos Arcanos Menores de maior potência; ainda que a vitória que sinaliza pertença ao plano material, não ao espiritual – como ocorre com o Sol – não obstante, não por isto é menos prazerosa. Às vezes, se está rodeada por outras cartas mais espirituais, o Seis de Paus pode indicar também uma vitória espiritual, porém, o comum é que se refira ao vencimento dos obstáculos que encontramos na vida diária, graças ao trabalho, à confiança, à ação oportuna e certa. A aparição desta carta costuma indicar que estamos a ponto de lograr nossas

metas e que nossos esforços serão finalmente reconhecidos. Não obstante, como costuma ocorrer, também o Seis de Paus tem os seus perigos. Com a vitória costuma chegar o orgulho e a arrogância e, inclusive, a crença de que somos melhores do que os demais. Deixar-se levar por esta linha de pensamento é abrir a porta para a frustração e a dor. A lição desta carta é que devemos manter as vaidades do ego bem submetidas. Algumas vezes, a aparição do Seis de Paus poderia indicar o início de uma relação romântica ou, mais provavelmente, de uma amizade, pois os Paus inclinam-se mais pela moralidade que pelas emoções. É o momento de descansar e usufruir o fruto do nosso trabalho, mas sem ficarmos adormecidos, pois o mais importante, todavia está por vir. O Seis de Paus indica-nos que estamos no caminho correto, todavia, falta-nos muito chão para percorrer. Sigamos com a confiança sólida e a moral elevada, sabendo que, no final da viagem, seremos recebidos como reis.

Significado: Terá êxito. Seja persistente. Suas relações vão melhorar. Possível viagem na qualidade de representante oficial ou líder.

Inverso: Ainda que acredite que estão se aproveitando de você, não gere tensões. Seja cuidadoso com seu orgulho.

Os Arcanos Menores

O Sete de Paus

Esta carta ensina-nos a importância que tem em nossa vida diária, não apenas o valor, mas também o medo. Vemos uma luta representada na imagem, mas desta vez, não desorganizada, como ocorria com o Cinco de Paus, onde não havia estratégia nem coesão. Aqui vemos um homem que defende seu território contra seis inimigos armados como ele, e o defenderá até o final. Sem dúvida deve sentir medo ante seus oponentes, mas o importante dos Sete de Paus é que nos confere o poder de sentir nosso medo e, por isto, de vencê-lo. Ao confrontar nossos medos, nós os convertemos em vantagens, tornamo-nos mais fortes e preparamo-nos para afrontar e vencer o próximo obstáculo

que se apresentar em nosso caminho. Portanto, não há coragem sem um medo que o inspire, mas esse medo não tem por que dominar-nos. Quando a oportunidade chama à nossa porta, devemos tomá-la com toda a coragem e com todo o valor que dispomos. A aparição do Sete de Paus geralmente significa que devemos defender firmemente aquilo em que acreditamos. Em algumas ocasiões, é importante saber o lugar em que estamos para não terminarmos lutando contra nós mesmos. Assim, antes de investir na batalha, devemos tomar um momento para decidir quem é aquele pelo qual estamos lutando. A colina sobre a qual está em pé o homem da carta, não apenas é uma boa posição defensiva, mas também, um bom posto de observação e de vigia. Se você vê que a causa vale a pena e que sua posição é sólida, atue com confiança. Se você crê que não é necessário lutar, não lute, pois sabe quando deve lutar e quando não quem consegue a vitória. Normalmente, como a figura da carta, o Sete de Paus indica-nos que estamos numa posição sólida e elevada e que nossos argumentos são corretos, apesar do número de pessoas que tratem de convencer-nos do contrário; ainda que as possibilidades de êxito pareçam poucas, relembre que a sorte sempre favorece a quem defende uma posição que conhece muito melhor do que o inimigo atacante. Mantenha sua posição, porque assim conseguirá a vitória. O valor é muito mais forte do que a força física. Um combatente decidido deve sair vencedor dos seus agressores.

Significado: Muita pressão no trabalho ou em outros aspectos da sua vida. Tente libertar-se das tensões, verá as coisas com mais claridade. Seu caráter é forte, poderá vencer qualquer adversário.
Inverso: Sua posição é mais forte do que você crê. Não deixe que se aproveitem de você. Evite a indecisão.

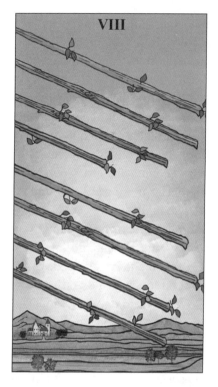

O Oito de Paus

O Oito de Paus é uma carta estranha e poderosa, na qual só aparece a imagem dos oito bastões, sem nenhuma figura humana. Sua energia é rápida e potente, não muito distinta da do Ás de Paus ou mesmo da Roda da Fortuna. Geralmente, o Oito de Paus refere-se a uma repentina liberação de energia na forma de uma decisão ou de uma ação rápida. Este estalido de força limpa toda confusão e negatividade, abrindo as linhas da comunicação e pondo as coisas em movimento. É como um forte vento, como um furacão que elimina qualquer obstáculo que encontre em seu caminho, que, neste caso, é nosso caminho, deixando-o limpo para que possamos avançar tanto quanto quisermos. Não

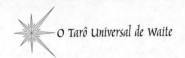

obstante, há de se ter cuidado com o excesso de ímpeto. A ação pode ser rápida, mas não por isso imprudente e sem pensar. Se até agora existiam obstáculos em nosso caminho, a aparição do Oito de Paus indica que podemos liberar-nos facilmente deles, quer seja graças à nova energia de que dispomos, quer à nossa capacidade de comunicação, agora potencializada. Procure problemas antigos e persistentes e veja quantos pode resolver. Esta carta também pode indicar o aparecimento de um romance ou de uma nova amizade, mas, cuidado: o perigo está em não levar em conta as preferências e os gostos da outra pessoa. É importante que ambos se sintam à vontade. O Oito de Paus pode indicar qualquer mudança ou transformação súbita e rápida, também de ordem espiritual. Quando aparecer acompanhado da Grande Sacerdotisa ou da Estrela, pode assinalar uma transformação espiritual ou ideológica de ordem mais elevada. Pela primeira vez, as peças – até agora desconexas - da sua vida parecerão estar no seu lugar, e você captará o sentido da existência.

Significado: O sucesso da sua meta está ao alcance da mão. Novas idéias lhe trarão benefícios. Possível viagem de trabalho. Necessidade de equilibrar o orçamento.

Inverso: Controle suas emoções; nem brigas, nem ciúmes vão resolver seus problemas. Aja com calma. Não é momento de tensões.

Os Arcanos Menores

O Nove de Paus

Força interior, ímpeto e desejo de seguir adiante, apesar das dificuldades, são os principais significados do Nove de Paus. Em tempos de grande estresse e dificuldades, a aparição desta carta indica-nos que, se buscarmos em nosso interior, acharemos a força necessária para seguir adiante e sairmos vitoriosos. A aparição do Nove de Paus costuma assinalar dificuldades, mas também indica-nos como vencê-las. Esteja preparado e vigie seus opositores. Identifique seus poderes e esteja pronto para usá-los em defesa própria. Não obstante, deve ser também consciente de que o combate nem sempre é a melhor opção. Muitas vezes a espera é o único meio que nos levará à vitória. Talvez

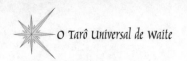

tenha que esperar muito tempo e estar sempre preparado para lutar, se isto se tornar necessário. O adequado é continuar preparado, inclusive muito tempo depois que o conflito houver terminado, pois, algumas vezes é difícil saber se estamos no princípio, na metade ou no final da tormenta. É freqüente que esta carta sinalize o final dos esforços, a última colina que deverá ser culminada, antes de chegar à linha da meta, mas este obstáculo, às vezes, é o mais perigoso. Para vencê-lo, você deverá ser consciente de que não é distinto dos muitos que já venceu em seu longo trajeto. A glória está ao alcance da sua mão. Interiorize-se e extraia o melhor de si mesmo. Esta força, todos a possuímos, ainda que por alguma razão, apenas se manifeste quando a necessitamos. Não é um tipo de força que possa ser invocada, mas que se deve ganhar, passando por adversidades e desafios de todo tipo. Surge somente quando todas as demais opções já foram exploradas, quando já foram utilizados todos os recursos e nossas energias estão praticamente esgotadas, entretanto, tirando forças da fraqueza, vencemos uma vez mais. Então, do escuro mais profundo, surge do nosso interior essa força incompreensível. É como um relâmpago cuja brilhante luz aparecerá no momento em que a necessitemos.

Significado: Tem o conhecimento e a capacidade para perseverar e atingir a meta. Mantenha-se fiel às suas idéias.
Inverso: Não está suficientemente preparado, o que o torna vulnerável. Lute pelo que você crê.

Os Arcanos Menores

O Dez de Paus

O significado do Dez de Paus não pode ser mais oposto ao do Ás. Tudo o que ali era energia fogosa, disposta a empreender qualquer nova aventura ou projeto, aqui é esgotamento e quase desfalecimento ante o peso da carga que estamos suportando. A imagem mostra-nos um homem que anda inclinado, sustentando, com esforço, dez bastões frente a si, os quais, inclusive, impedem-no de ver por onde caminha. A força e a criatividade representadas pelas cartas anteriores saíram do controle. A pessoa, cedendo a seu impulso fogoso, foi acumulando sobre seus ombros demasiada responsabilidade, participou de demasiadas empresas e agora mal pode com tudo isto. A aparição

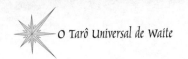

do Dez de Paus pode indicar-nos que estamos esforçando-nos demais. Para nossa própria saúde e nosso bem-estar, devemos aliviar a carga. Pode-se estar certo de que, de uma maneira mal pensada, assumimos demasiadas responsabilidades; chegou o momento, para nosso próprio bem, de desprendermo-nos de algumas delas. É importante estabelecermos quais são as que devemos conservar, não atendendo aos nossos gostos, mas ao nosso dever. Também pode ser que haja chegado o momento de pedir ajuda. Nas situações emocionais, o Dez de Paus nos diz que a pessoa está levando sobre as costas todo o peso da relação. Sejam quais forem os problemas ou os conflitos, é sempre ela quem deve suavizá-los. Com a espada inclinada, esforça-se para manter em marcha a relação, enquanto seu par, provavelmente, nem sequer é consciente dos seus esforços. Em resumo, a aparição desta carta indica que sua vida irá tornar-se, durante algum tempo, mais difícil do que é normalmente. Terá que se esforçar demais para obter o mínimo proveito. Cada passo parecerá uma batalha. Alivie a carga quando for possível e deixe que os demais o ajudem.

Significado: Uma pesada carga o oprime tanto física como moralmente, mas tudo irá melhorar. Está suportando grandes responsabilidades.

Inverso: Indicação de que alguém está tratando de passar sua pesada carga a outros. Deve reconsiderar suas metas iniciais para ver se ainda são válidas.

Os Arcanos Menores

VALETE DE PAUS

O Valete de Paus

O Valete de Paus é o entusiasmo personificado, é o mais inquieto de todo os valetes, passando continuamente de uma coisa a outra, sem deter-se muito para pensar ou observar. É brincalhão e criativo, com uma certa inclinação teatral que às vezes pode tornar-se excessiva. Afetuoso e entusiasta, ainda que inseguro e instável. Quando o Valete de Paus representa uma pessoa, podemos imaginá-lo movendo-se sem parar – ou inclusive saltando – sobre sua cadeira, frente à mesa de trabalho, onde podem estar espalhados pincéis e aquarelas, artifícios de química, papéis, livros, um coelho das Índias, umas maçãs já mordidas e muitas outras coisas. Dado que os Paus representam o

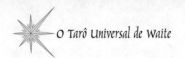

começo, o Valete de Paus pode significar o início de um projeto e, especialmente. o anúncio – dirigido tanto ao mundo como a nós mesmos – de que estamos preparados para iniciar algo. Nesse sentido, pode ser também um mensageiro que igualmente traga-nos grandes oportunidades de um novo romance. Sempre, porém, nos trará possibilidades reais de experimentar a criatividade, o ânimo, o encanto e a inspiração. Diante destas qualidades de entusiasmo, criatividade, rapidez e de portador de mensagens, é inevitável associá-lo com o deus – e com o signo astrológico – Mercúrio. Quando, numa leitura, aparece este valete, ele pode indicar que à nossa vida vão chegar circunstâncias que nos emocionarão, nos incitarão a realizar grandes coisas. No momento em que vemos que tal oportunidade se apresenta, deve-se agir. Como sempre, pode também representar uma criança ou um jovem independente, com grande energia e entusiasmo, ainda que seu comportamento possa não estar isento de riscos. Caso o Valete de Paus indique que para sua vida vão chegar a excitação e a aventura, não deixe passar tal momento e divirta-se expressando livremente sua individualidade, sua força e seu poder criativo.

Significado: Jovem menino ou menina, com as características mencionadas. Vêm boas notícias. Carta ou chamada telefônica que lhe agradará.
Inverso: Relação desagradável com uma pessoa de caráter dominante.

Os Arcanos Menores

CAVALEIRO DE PAUS

O Cavaleiro de Paus

O Cavaleiro de Paus está cheio de energia e de vitalidade, sendo encantador e, inclusive, irresistível, mas sempre superficial. De físico atraente e personalidade sedutora. É alguém que se preocupa muito com seu estilo e com sua aparência. Ao passar, desperta admiração e desarma facilmente qualquer opositor com seu sorriso. É muito eloqüente, diz e faz, a cada momento, aquilo que causará a melhor impressão. Tem uma confiança total em si mesmo, chegando inclusive a valorizar exclusivamente as suas qualidades. Praticará, sem pensar duas vezes, qualquer ação arriscada ou perigosa que assustaria qualquer outro. Sempre é o primeiro, o voluntário a enfrentar o perigo,

pois é muito atrevido e encanta-lhe fazer o que nunca ninguém fez... É o herói nato. Fascina-o viajar, assim como as novas experiências, e dificilmente acostuma-se à tranqüilidade e à calma, pelo que, muito raramente cria raízes, nem estabelece laços duradouros. Assim, nunca o assusta provar algo novo, e o fará com todo o entusiasmo possível. Seu lado negativo é que está demasiadamente seguro de si mesmo e da sua capacidade, e tende a ser superficial, presunçoso e desconsiderado. Não se deve esperar um grande compromisso da sua parte, e mais: é temerário e irresponsável. Necessita de um estímulo constante e, com freqüência, se mete em problemas por causa do seu caráter, pois se encoleriza com facilidade. Carece de paz interior e de serenidade, e costuma agir sem deter-se para pensar antes. Numa leitura, o estilo apaixonado e confiado do Cavaleiro de Paus pode representar um aspecto de você mesmo ou de uma pessoa externa. Quando se trata de uma faceta da própria pessoa, a pergunta que se deve fazer a respeito da energia do Cavaleiro de Paus é: ela me beneficia neste momento da minha vida ou me prejudica? É necessário potencializá-la ou acalmá-la? Ninguém pode responder a isto melhor que o próprio interessado. Está o tempo todo de mau humor ou impaciente? Tem muita confiança em si mesmo? É envaidecido de si mesmo? Está preparando-se para entrar num projeto arriscado? Por ser assim, o adequado é realizar algumas modificações, tomar consciência desta fogosa energia e tratar de acalmar-se e de serenar-se. Se, pelo contrário, vemos uma total ausência da energia do Cavaleiro de Paus, é possível que, para a pessoa, lhe faça falta uma certa dose de paixão e de atrevimento. Está consumido na rotina? Planeja tudo até o último detalhe? Está trabalhando em demasia? Nestes casos, o necessário seria fazer algo novo, deixar, de vez em quando, algo ao acaso e tratar de divertir-se sempre que for possível.

Os Arcanos Menores

Significado: Homem jovem com as características citadas. Início ou final de uma situação importante. Vantajosas propostas de trabalho. Possível viagem através da água ou sobre a água. Talvez mudança de residência.

Inverso: Falta de energia. Frustração e indecisão. Siga sua consciência e aja segundo seus ditames.

Os Arcanos Menores

RAINHA DE PAUS

A Rainha de Paus

A Rainha de Paus combina a energia positiva dos Paus com as qualidades internas de uma rainha. É a mais popular da classe, atraente fisicamente, carinhosa e entusiasta, fiel e apaixonada. Seus modos afetivos e desenvoltos fazem com que tenha muitos amigos. Sua energia é contagiosa e seu entusiasmo, total. Nada consegue deprimi-la e sempre vê a parte positiva de cada situação. É uma pessoa radiante, cuja vibração é sentida por todos que a rodeiam, ainda que nem sempre seja demasiadamente estável. Qualquer que seja a sua tarefa, dedica-se a ela com uma energia total, apesar de a constância não ser o seu forte e às vezes resultar em dificuldades terminar todos os projetos

que começa. Parece estar sempre apressada. Sua vida está sempre muito ocupada e assim lhe agrada. Pode manter esse ritmo graças à sua saúde perfeita e ao fato de estar sempre em boa forma física. Com freqüência, é uma boa desportista, com natureza muito forte. É independente e exuberante, dinâmica e criativa. Pode ser um verdadeiro torvelinho, pois nem sempre planeja cuidadosamente o curso a seguir antes de começar algo. Geralmente combina algumas das qualidades da Rainha de Ouros e da de Copas, ainda que seja mais prática que a Rainha de Copas e mais vivaz que a de Ouros. De todas as rainhas, é a que possui um temperamento mais fogoso e não costuma sujeitar-se muito ao convencional, pois, no fundo, possui um espírito rebelde que pode levá-la a ser pioneira em algum campo ou, inclusive, revolucionária, apesar de que isto seja devido às suas experiências e às suas emoções, mais do que a uma postura intelectual. De qualquer forma, sempre será uma líder, nunca uma seguidora. Ainda que não seja arrogante, confia plenamente nas suas capacidades e está segura de ser capaz de lograr qualquer coisa que aconteça. Ao aparecer numa leitura, a Rainha de Paus está pedindo-nos que pensemos e sintamos como ela o faz. Quer dizer: sente-se você atraente? Crê você em si mesmo? É entusiasta e está cheio de energia? Permita que essa energia tão especial passe a integrar-se em sua vida neste momento. E, como sempre, a Rainha de Paus pode representar um homem ou uma mulher semelhante a ela, ou melhor, um ambiente cheio de vibração e entusiasmo.

Significado: Mulher madura. Se aparece junto a um valete, rei ou cavaleiro, está relacionada a eles. Pode-se recorrer a ela, pois está disposta a ajudar.
Inverso: Mulher excessivamente restrita. Talvez infidelidade numa relação. Evite confiar numa mulher que, neste momento, sente amargura.

Os Arcanos Menores

REI DE PAUS

O Rei de Paus

A personalidade do Rei de Paus é uma combinação da energia positiva e fogosa dos Paus com a ativa e extrovertida de um rei. É muito criativo e não lhe agrada seguir os caminhos trilhados. Confia totalmente na sua generosidade e faz com que suas inspirações tomem forma. É entusiasta e decidido. Assume o comando cada vez que se apresenta a ocasião e os demais o seguem com confiança, esforçando-se para atingir suas metas. Não é um observador passivo, salvo se isso lhe interessa num dado momento; prefere atuar e gerar ele mesmo os resultados que deseja. Possui uma personalidade espetacular e emocionante, e costuma ser sempre o centro das atenções. Atrevido,

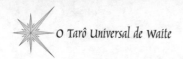

audaz, evita os caminhos fáceis e seguros, pois se sente com a energia e a segurança suficientes para correr riscos e sair vitorioso. Gosta de desenvolver idéias e projetos novos e sempre está aberto a novas áreas de experiência. Possui certa habilidade artística natural e serve-se desta expressão artística para seus próprios fins. Gosta de estabelecer novas estratégias e é original, com notável inventividade. Sabe comunicar seu entusiasmo aos demais, criando, ao seu redor, um ambiente de emoção e excitação. É o exemplo que os demais desejam seguir, pois, na realidade, é um líder natural e poderoso. Sua presença inspira confiança, autoridade e respeito de um modo natural, ainda que não possa estar isento de certa teatralidade. É observado pelos demais, imitado e comentado; sem que pouco lhe importe o que pensam os outros, ele se cinge a suas convicções. Corre risco, mas antes, calcula as sua probabilidade de êxito e sempre confronta abertamente seus opositores. Quando, numa leitura, aparece o Rei de Paus, talvez isto indique que você deva incorporar à sua vida as qualidades e as atitudes deste rei. Também pode representar uma pessoa relacionada com você ou um ambiente em que vá viver. De qualquer forma, sua aparição indicará que a sua especial energia tem um importante significado neste momento da sua vida. Permita que ela o inspire e o guie.

Significado: Homem maduro. Possível chegada inesperada de dinheiro. Qualidades de liderança. Conceda-se um tempo antes de aceitar qualquer acordo.
Inverso: Discórdias ou disputas. Desconforto no trabalho por falta de tolerância de alguém. Não permita que se comportem de maneira agressiva com você.

As leituras

Nosso baralho de Tarô

Alguns opinam que o baralho de Tarô que é utilizado para seu trabalho, seja ele divinatório ou de meditação, deve ser objeto de cuidados especiais: guardá-lo envolto num pano de seda, evitar que ninguém o toque etc. Para mim, isto não é necessário. Considero que as cartas são simples instrumentos que me ajudam a extrair do meu inconsciente certas informações, às quais, normalmente, não tenho acesso. Entendo, porém, que o fato de estabelecer e seguir um certo ritual

pode ajudar a pessoa se desprender das tensões e preocupações cotidianas e entrar num estado de consciência muito mais favorável. Por isso, creio que cada um deva tratar seu baralho de Tarô da maneira como sinta que deve fazê-lo, sem normas, nem regras externas. Entretanto, é importante que a pessoa se encontre num estado de calma e tranqüilidade. Se estivermos inquietos ou nos embarga uma emoção forte, isto se refletirá nas cartas.

Embaralhar

Há que começar embaralhando as cartas. Pode fazê-lo você mesmo, ou melhor, a pessoa que lhe pede consulta. Não há regras fixas. Cada leitor ou leitora deve atuar da maneira como se sinta mais cômodo. Por mim, gosto que o cliente embaralhe, e prefiro que o faça nove vezes. Posteriormente, lhe peço que deposite as cartas sobre a mesa e ponha sua mão por um momento sobre elas, enquanto eu faço uma breve oração. Isto me ajuda a despojar a mente de outras coisas e a concentrar-me no que estou fazendo. Se alguma carta cair ao solo ao embaralhar, é significativo e mais: se esta carta aparece logo na tirada, devemos recolhê-la e pô-la novamente no baralho. Alguns consideram que, depois de embaralhar, o cliente deve cortar o maço em duas ou três partes. Outros fazem com que disponham estas três partes, uma sobre a outra, em forma de cruz e ouse a mão sobre ele. Também há aqueles que cortam o baralho e aqueles que não o cortam em absoluto, depois que foi embaralhado. De novo, a norma é que não há normas fixas. Cada um deve proceder da maneira que se sinta mais cômodo. O habitual é que, depois que o maço tenha sido embaralhado (e cortado, se assim o deseja), retiremos de cima as cartas que vão conformar-se à tirada, e as disponhamos sobre a mesa.

As leituras

A tirada mais simples

Algumas vezes, uma simples carta extraída do maço pode dar-nos já a informação de que necessitamos. Esta seria a tirada mais simples a mais rápida, e também a mais fácil de interpretar. Este tipo de tirada costuma funcionar muito bem quando buscamos algum tipo de guia. Por exemplo, se antes de sair para o trabalho, perguntarmos: "que tipo de indicação tens a dar-me para o dia de hoje?".

A tirada de três cartas.

Uma ampliação também bastante simples desta tirada é a de três cartas:

Aqui, a carta um indica-nos a situação atual; a carta dois representa as ações que talvez devamos realizar e que se oferecem à nossa consideração, e a carta três mostra-nos os resultados que podemos esperar, se realizarmos as ações aconselhadas. Esta tirada de três cartas pode também ser interpretada como se faz com o *I Ching*. Neste caso, as cartas seriam lidas com se fossem um pensamento continuado. A primeira representa o tema principal e cada uma das seguintes irá acrescentando-lhe detalhes.

Pode-se seguir tirando as outras cartas, até que se esteja satisfeito com a informação obtida.

A pirâmide

Esta disposição das cartas é muito útil para situações mais complexas que se estendem muito através do tempo, por exemplo, quando se deseja saber a evolução de uma relação de trabalho em que já se leva muito tempo ou, inclusive, do nosso próprio progresso espiritual durante esta vida. No caso de tratar-se de uma relação amorosa, a carta um (O Passado) representaria os inícios da dita relação. A carta dois (O Passado) assinalaria

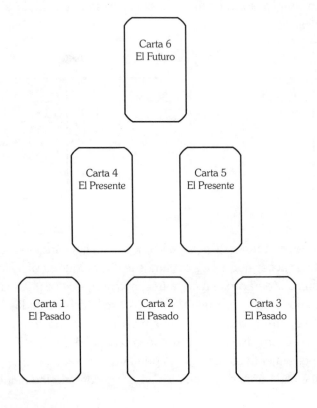

As leituras

algum acontecimento importante ocorrido durante a mesma. A carta três (O Passado) indica-nos como a relação mudou a conseqüência do referido evento ou acontecimento. A carta quatro (O Presente) diz-nos da situação atual da relação. A carta cinco (O Presente) assinala o desafio mais importante que enfrentamos neste momento e a carta seis (O Futuro) mostra-nos qual é o curso da ação mais adequada que devemos tomar.

A cruz celta

Talvez esta seja a tirada mais conhecida e mais tradicional.

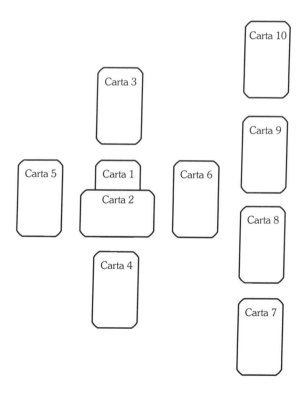

Uma das interpretações mais usuais da cruz celta é a seguinte:

1. Descreve o consulente e sua situação atual.
2. Qualquer coisa que interfira nesta situação ou que se experimente como forma de resistência.
3. O mais importante no consulente ou na consulta, as forças que afetam a pergunta.
4. Como se chegou a esta situação.
5. Algo que o consulente tenha feito recentemente a respeito.
6. O que vai fazer agora o consulente.
7. O papel que o consulente desempenha na pergunta ou na situação dada.
8. O papel que desempenham outras pessoas na pergunta, a natureza do ambiente.
9. Descreve o que ilude o consulente, o que deseja realizar, talvez também o que o assusta.
10. Mostra o resultado que se pode esperar, levando em conta todo o anterior.

Qual tirada é melhor

Os livros de Tarô costumam mostrar muitos tipos de tiradas. A gama de possibilidades é simplesmente infinita. Minha opinião é que o método, ou a tirada que se utilize, não importa muito. O que realmente é importante é que utilizemos um sistema que nos inspire, que conheçamos bem e, com ele, nos sintamos à vontade, tanto se foi inventado por nós, como se foi aprendido com outra pessoa ou se foi por um livro. Uma vez que se tem uma idéia do significado de cada carta, o melhor é começar com tiradas simples. Na realidade, cada um dos Arcanos, especialmente os Maiores, pode ter todo um mundo de significados.

As leituras

Pouco a pouco os leitores irão descobrindo quais são os apropriados para eles ou para elas, e deverão ir descobrindo, também, as relações que existem entre as diferentes cartas e o significado de cada uma dessas relações. Na realidade, o Tarô é algo que deve ser aprendido com um livro, pois no princípio, sua ajuda pode ser necessária. É o trabalho com as imagens do baralho o que deve ir abrindo o conhecimento do nosso interior. O conhecimento adquirido desta maneira será realmente nosso e irá desenvolvendo-se de um modo natural. E este é o modo como o Tarô pode converter-se num instrumento e numa ajuda incalculável. Assim, viveremos a grande verdade contida nas palavras de Waite, mencionadas no princípio deste livro: "O Tarô é uma representação simbólica de certas idéias universais em que se baseiam a mente e o comportamento humanos e contém uma doutrina secreta a que é possível aceder, pois já está na consciência de todos nós, ainda que o homem comum passe pela vida sem reconhecê-la". Peço à Inteligência que governa o universo que permita ao leitor deste livro aceder a este conhecimento secreto, para o seu próprio bem e para o bem dos seus semelhantes.

Índice

UM POUCO DE HISTÓRIA...	7
O enigma do Tarô	7
O significado da palavra Tarô	8
Os primeiros dados históricos	9
Os mais antigos Tarôs existentes na atualidade	11
O Tarô de Mantegna	12
Tarô e os ciganos	14
O redescobrimento do Tarô: Court de Gébelin	15
O Tarô e a Cabala: Elyphas Lévi	17
O Tarô nos fins do século XIX. Papus	21
Criação do Tarô moderno. A Golden Dawn	22
Dissolução da Golden Dawn	23
O Tarô de Waite	25
O Tarô de Crowley	26

    Outros herdeiros da Golden Dawn:
    o Tarô de BOTA 28
    O Tarô na segunda metade do século XX 30

Usos do Tarô 33
    O Tarô como instrumento de meditação
    e de autoconhecimento 33
    Um simples exercício 36
    O Tarô como instrumento divinatório 37

Os Arcanos Maiores 41
    O Louco: o espírito 43
    O Mago: a vontade 47
    A Sacerdotisa: a sabedoria oculta 51
    A Imperatriz: a ação frutífera 55
    O Imperador: liderança, atividade e controle 59
    O Papa: a ortodoxia convencional 63
    Os Enamorados: o amor, a harmonia 67
    O Carro: o êxito, o triunfo 71
    A Força: o domínio do espírito 75
    O Eremita: o guia eterno 79
    A Roda da Fortuna: o destino 83
    A Justiça: o equilíbrio 87
    O Enforcado: o sacrifício 91
    A Morte: a transformação 95
    A Temperança: a adaptação 99
    O Diabo: a aparência enganosa 103
    A Torre: a destruição do antigo 107
    A Estrela: a esperança 111
    A Lua: a intuição 115
    O Sol: a culminação 119
    O Julgamento: o renascimento 123
    O Mundo: a realização 127

Indice

Os Arcanos Menores 131
  As Copas 133
    O Ás de Copas 135
    O Dois de Copas 137
    O Três de Copas 139
    O Quatro de Copas 141
    O Cinco de Copas 143
    O Seis de Copas 145
    O Sete de Copas 147
    O Oito de Copas 149
    O Nove de Copas 151
    O Dez de Copas 153
    O Valete de Copas 155
    O Cavaleiro de Copas 157
    A Rainha de Copas 159
    O Rei de Copas 161

  Os Ouros 163
    O Ás de Ouros 165
    O Dois de Ouros 167
    O Três de Ouros 169
    O Quatro de Ouros 171
    O Cinco de Ouros 173
    O Seis de Ouros 175
    O Sete de Ouros 177
    O Oito de Ouros 179
    O Nove de Ouros 181
    O Dez de Ouros 183
    O Valete de Ouros 185
    O Cavaleiro de Ouros 187
    A Rainha de Ouros 189
    O Rei de Ouros 191

O Tarô Universal de Waite

As Espadas 193
   O Ás de Espadas 195
   O Dois de Espadas 197
   O Três de Espadas 199
   O Quatro de Espadas 201
   O Cinco de Espadas 203
   O Seis de Espadas 205
   O Sete de Espadas 207
   O Oito de Espadas 209
   O Nove de Espadas 211
   O Dez de Espadas 213
   O Valete de Espadas 215
   O Cavaleiro de Espadas 219
   A Rainha de Espadas 221
   O Rei de Espadas 223

Os Paus 225
   O Ás de Paus 227
   O Dois de Paus 229
   O Três de Paus 231
   O Quatro de Paus 233
   O Cinco de Paus 235
   O Seis de Paus 237
   O Sete de Paus 239
   O Oito de Paus 241
   O Nove de Paus 243
   O Dez de Paus 245
   O Valete de Paus 247
   O Cavaleiro de Paus 249
   A Rainha de Paus 253
   O Rei de Paus 255

Índice

AS LEITURAS..	257
Nosso baralho de Tarô	257
Embaralhar	258
A tirada mais simples	259
A tirada de três cartas.	259
A pirâmide	260
A cruz celta	261
Qual tirada é melhor	262

Impresso por :

gráfica e editora

Tel.:11 2769-9056